Dibujar y pintar criaturas de fantasía

Dibujar y pintar criaturas de fantasía

Da vida a criaturas y a monstruos de otros reinos

Kevin Walker

Grupo Editorial Tomo, S.A. de C.V.,
Nicolás San Juan 1043,
03100 México, D.F.

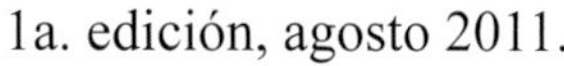

1a. edición, agosto 2011.

"How to Draw and Paint Fantasy Creatures".
Kevin Walter

Nicolás San Juan 1043, Col. Del Valle
03100 México, D.F.
Tels. 5575-6615, 5575-8701 y 5575-0186
Fax. 5575-6695
http://www.grupotomo.com.mx
ISBN-13: 978-607-415-288-3
Miembro de la Cámara Nacional
de la Industria Editorial No. 2961

Supervisor de producción: Silvia Morales

Este libro se publicó conforme al contrato establecido entre *Quarto Publishing, Plc.* y *Grupo Editorial Tomo, S.A. de C.V.*

Impreso en Singapur- *Printed in Singapore*

Índice

Introducción

El arte fantástico moderno está empapado del folclore, de los mitos y de las leyendas de épocas pasadas que siempre han estado colmadas de extrañas criaturas muy alejadas de los animales domésticos con los que compartimos el día a día. Criaturas fantásticas tales como dragones, hombres lobo y vampiros nos aportan enemigos a los que temer, mientras que los monstruos marinos son una metáfora visual de aquello que sospechamos que nos acecha bajo las olas del mar.

Pero, ¿cómo podemos dibujar y colorear esas criaturas míticas que sólo existen en nuestra imaginación? Este libro responde a esa pregunta, mostrando cómo los creadores del arte fantástico elaboran su particular visión de los mundos extraños y de las bestias que en ellos habitan. La mayoría de los seres fantásticos tienen como punto de partida la realidad, por lo que te recomiendo que observes a animales, pájaros e insectos reales y que intentes imaginar cómo podrías modificarlos distorsionando su anatomía o alterando su tamaño. Una cucaracha ya es bastante desagradable a tamaño normal, pero piensa cómo quedaría si la dibujaras tan grande como una casa. El libro empieza por darte sugerencias sobre dónde encontrar ideas e inspiración para tu trabajo. Después, te muestra algunas técnicas útiles para determinados tipos de dibujo y coloreado.

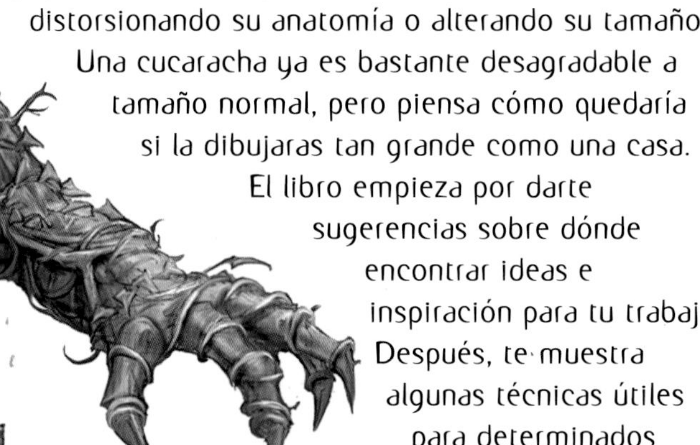

El Bestiario, estructurado en seis entornos diferentes, presenta distintas ideas para que te inspires y varios ejemplos de bestias para dibujar y colorear. Cada entrada incluye una ilustración terminada de la criatura y sugerencias para su recreación. Además, gracias a las viñetas informativas, tendrás acceso a datos vitales tales como su peso, su olor y dónde y cómo podría aparecer.

El apartado de Bestiario está lleno de apasionantes ideas, en él encontrarás sugerencias sobre cómo pueden moverse estos seres, cómo puedes decidir que posturas adoptan, y clases prácticas sobre cómo dibujar garras, escamas, dientes y otras características imprescindibles en las bestias fantásticas. Las demostraciones del apartado El dibujo del profesional te permiten observar a los artistas como si estuvieras a su lado mientras te llevan paso a paso por el camino de la creación de toda una serie de bestias, explorando diversos estilos y enfoques para que los utilices cuando necesites desarrollar tu propio sistema de trabajo.

Así que no esperes más, puedes seguir las instrucciones que te proporcionan los artistas aquí o utilizar sus ilustraciones y demostraciones a modo de lanzadera para adentrarte en tu propio reino de fantasía e imaginación.

K. Walker

Antes de empezar

Este apartado te ayudará a familiarizarte con el mundo de la fantasía. Aquí encontrarás consejos sobre cómo debe ser tu zona de trabajo, sobre qué medios técnicos y herramientas utilizar y, además, toda una serie de técnicas diseñadas para que consigas los efectos deseados con la mayor brevedad y rapidez posible.

¿De dónde vienen las ideas? A casi todos los artistas les han hecho alguna vez esta pregunta, sobre todo, si su especialidad es el género fantástico, y la única respuesta posible es "de todas partes y de ninguna". A las ideas no se les puede llamar para que acudan, y suelen aparecer cuando menos lo esperas. A veces, las desencadena un efecto visual inesperado al ver una simple luz reflejada en una pared. Todos hemos visto de pequeños caras o criaturas extrañas mientras observábamos una hoguera o una formación de nubes, pero en la ajetreada vida actual perdemos la habilidad de dar rienda suelta a nuestra imaginación. Mantén tu mente abierta y no descartes nada.

Puntos de partida

Tener una idea realmente original es algo bastante insólito. Eso se lo dejamos a unos pocos visionarios cuya inspiración les viene de lo más profundo. La mayoría de las obras fantásticas tiene su origen en la realidad, y esto es aún más cierto cuando hablamos de seres fantásticos (no se puede concebir una criatura que parezca real sin tener en cuenta a animales reales).
Las bestias que crees tendrán que aparentar que pueden moverse, comer, cazar y hacer todo lo que las criaturas de verdad hacen, independientemente de cuál sea su estructura, hábitos o medio en el que se desenvuelvan. Para ello es importante que comprendas cómo se estructuran el esqueleto y los músculos que los cubren para formar la apariencia externa de las criaturas y cómo el movimiento afecta a sus estructuras. Los parques zoológicos pueden ser un buen lugar donde recopilar ideas, pero si no tienes uno a la mano puedes ver vídeos, libros y fotografías de animales e insectos para investigar cómo están formados (verás que muchas veces la realidad es más chocante que la ficción).

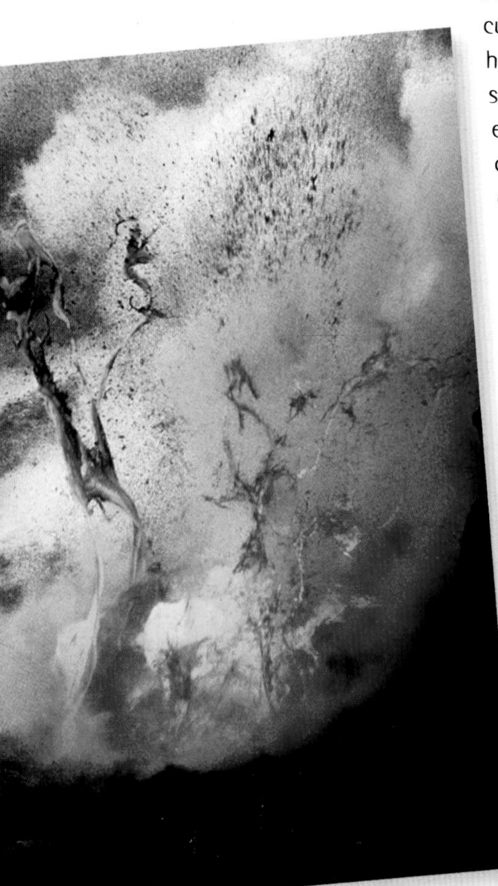

El mundo real
La Tierra es capaz de actos increíbles de destrucción y de renovación. Quién sabe qué criaturas pueden surgir de esas transformaciones.

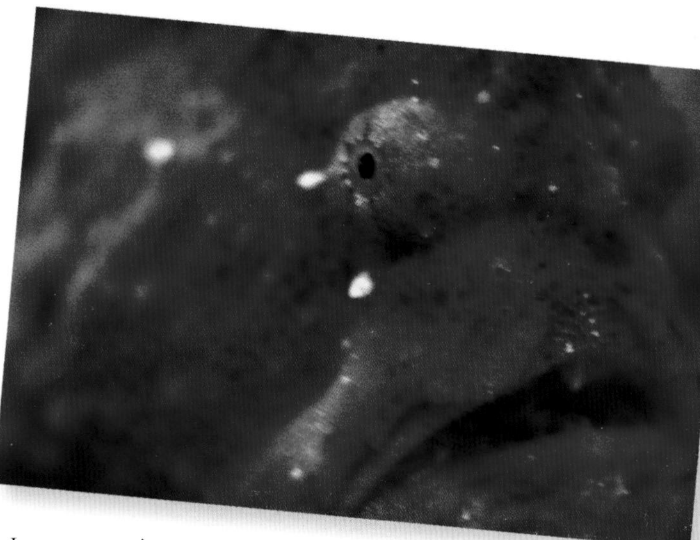

Las maravillas de la naturaleza
Algunos de los animales que ya existen son totalmente fantásticos. El color rojo de este pez es una maravilla.

Pasado y presente

Siempre es aconsejable fijarse en la obra de otros artistas ya que las bestias fantásticas han estado presentes en el arte a lo largo de toda la historia, desde las pinturas rupestres de la era prehistórica, pasando por las gárgolas de la época medieval, hasta las novelas gráficas y los juegos de ordenador de la era actual.
Si tienes algún tipo de criatura en mente, fíjate en cómo otros artistas han tratado esa idea a lo largo de los años.
No pierdas tiempo intentando averiguar cómo hicieron el dibujo, el coloreado o la escultura. Lo importante es la forma y el razonamiento que hay detrás de la creación.
La mitología y el folclore son buenas fuentes de inspiración y, en este campo, tienes una gran variedad de material (todas las culturas tienen sus propias ideas sobre criaturas extrañas, muchas veces incluso las han dotado de aptitudes para la magia).
La información escrita puede ser más útil que las fotografías o los dibujos ya que deja vía libre a la imaginación evitando la reproducción del original.

Modifica la realidad

Aunque tu criatura esté basada en un animal real o en una combinación de varios, puedes darle un aspecto más fantástico modificando su escala y situándolo en un entorno diferente. Las criaturas que son microscópicas en la vida real pueden dibujarse descomunales, o un animal que sólo vive en el mar puede ser transportado a otro entorno haciendo las modificaciones oportunas. Una medusa no duraría mucho en el desierto, pero tomando su forma básica, añadiéndole un esqueleto rígido y una piel diferente puedes conseguir una criatura totalmente distinta. Y, por supuesto, no te olvides de mezclar y variar. Utiliza los ojos de un animal y las orejas de otro (imagínate un caballo con piel de perro y orejas y rabo de cerdo, por ejemplo).

Ten tu propio archivo visual
Una cámara digital es perfecta para tomar fotografías de paisajes o de animales. Puedes transferirlas directamente a tu computadora y utilizarlas como base para tu imagen.

Arquitectura
Se pueden encontrar gárgolas como ésta adornando edificios de todo el mundo.

Recopila información visual

Cuando tengas una idea, no la ignores: guárdala inmediatamente. Las libretas y cuadernos para bocetos son esenciales, pero un álbum de recortes también te será muy útil a la hora de almacenar aquellas imágenes interesantes que hayas podido ver en revistas o periódicos. En la libreta también podrías guardar trozos de material o de cualquier otra cosa que te pueda servir a la hora de crear colores y texturas para tus criaturas. Llevar siempre una cámara encima te ayudará a tomar notas visuales de todo lo que veas cuando estés fuera de casa, y eso ahora es mucho más fácil que cuando las cámaras pesaban mucho y eran complicadas de usar. Las cámaras digitales son ligeras y de fácil manejo, e incluso las de los teléfonos móviles pueden ser una herramienta muy útil para recordar aquellas cosas que te interesan, pero que no tienes tiempo de dibujar, aunque la calidad de la imagen en estos casos no sea suficiente para su reproducción.

Dibujos históricos
Se han dibujado animales fantásticos desde tiempos inmemorables. Este grifo es de un grabado medieval.

Puede que los artistas e ilustradores profesionales necesiten unas herramientas bastante sofisticadas, suelen trabajar con unas fechas de entrega muy ajustadas, la ilustración tiene que adaptarse a un propósito específico, etc. Pero si para ti dibujar y colorear va a ser una afición, no será necesario que gastes mucho para reunir el equipo básico.

MESA DE DIBUJO
Una mesa de dibujo inclinada es perfecta para dibujar y además te ayudará a tener una postura correcta.

EL ESTUDIO

El primer requisito es disponer de un lugar de trabajo. No tiene por qué ser un estudio dedicado enteramente a ello, pero sí debería ser un lugar en donde te sientas cómodo y puedas concentrarte sin demasiadas distracciones.

Si tienes una habitación de sobra con buena luz natural, mejor que mejor, ya que ésta será esencial si vas a trabajar con colores. La falta de luz, además de ser fatal para los ojos, afecta a la percepción que tenemos de los colores que utilizamos. Puedes comprobar este hecho si dibujas algo bajo luz eléctrica, lo pintas con tonos amarillentos y luego lo vuelves a mirar con luz natural.

La luz natural siempre es mejor, pero eso no garantiza que tengas la cantidad de luz que necesitas. Si vives en el hemisferio Norte, lo ideal sería una gran ventana enfocada hacia el Norte, ya que no recibirás la luz directa y así evitarás los diferentes cambios de luz a lo largo del día. Pero si no dispones de ese lujo, no te preocupes, tener alguna ventana siempre es mejor que no tener ninguna. Si trabajas en una habitación en donde da mucho el sol y los cambios de luz te distraen, podrías colocar una cortina traslúcida para uniformar la luz que entra en la habitación. Una alternativa más barata sería colocar una tela blanca. Intenta, además, situar la mesa de manera que la mano no te haga sombra cuando estés trabajando y puedas ver claramente lo que haces.

TABLEROS, MESAS, SILLAS

La superficie sobre la que vayas a trabajar dependerá del tamaño de los trabajos que quieras realizar. La mayoría de los artistas utiliza algún tipo de mesa de dibujo, ya sea comprada, hecha con un tablero aglomerado a media densidad (MDF) o con un tablero contrachapado cortado a la medida deseada. Algunas mesas de dibujo permiten variar el ángulo de inclinación, con lo que se consigue una posición adecuada para trabajar y para evitar acumular tensión en la espalda. Sin embargo, si utilizas un tablero hecho en casa, puedes inclinarlo poniendo debajo un montón de libros o algunos tacos de madera.

Necesitarás una mesa en la que quepan todas tus herramientas de dibujo y coloreado, pero no es necesario que compres una a menos que estés acondicionando tu lugar de trabajo permanente. La mesa del comedor o la de la cocina te puede servir igual, pero cúbrela primero con un plástico. Hay muchas mesas baratas en el mercado e incluso puedes construirte una con un tablero MDF y unos caballetes.

En principio, cualquier silla puede servir siempre que sea cómoda, eso sí, una silla ajustable siempre será mucho mejor, especialmente para aquellos susceptibles de tener problemas de espalda. Escojas la silla que escojas, tienes muchas posibilidades de pasar demasiado tiempo sentado en ella trabajando, así que intenta levantarte de tanto en tanto.

ILUMINACIÓN

Si no dispones de luz natural, o si quieres trabajar de noche, necesitarás una buena lámpara en tu mesa de trabajo. Las lámparas de cuello flexible son perfectas porque puedes variar su altura y ángulo, y hay una gran variedad de ellas en el mercado. En cualquier tienda especializada en materiales de dibujo podrás encontrar bombillas de luz solar de diferentes vatios. Tienen el cristal de color azul para equilibrar el color de la luz y aunque cuestan un poco más, también duran más tiempo. Las luces halógenas de bajo consumo también van muy bien porque dan una luz clara y brillante. También tienen la ventaja de ser pequeñas y de poco peso, por lo que las puedes colgar de un casquillo de la pared fácilmente.

LÁMPARA DE BRAZO
Sitúa la luz de manera que no crees sombras sobre tu obra.

Almacenamiento

A medida que vayan pasando los años irás acumulando herramientas, así que tenerlas almacenadas acabará siendo importante. Las cajoneras te servirán para guardar en orden los lápices, lápices policromos, pinturas, gomas de borrar, cúteres y reglas , pero para empezar, puedes guardarlos en cajas de cartón o plástico.

ALMACENA TUS HERRAMIENTAS
Es conveniente que guardes tus pinturas, pinceles y lápices en un mismo sitio. Una caja de almacenamiento de pinturas sería perfecta.

Creación de la imagen final

La mayoría de los artistas empiezan realizando un boceto y a partir de él desarrollan el dibujo final. Este primer paso no es esencial pero te evitará tener que ir corrigiendo tu trabajo, cosa que podría estropearlo. Generalmente, el boceto será más pequeño que el dibujo final y se puede hacer incluso en un papel que no sea de dibujo, así que tendrás que pasarlo después a un papel y a un tamaño adecuados.

Copia tus dibujos

La opción más rentable a la hora de copiar un dibujo es trazar una cuadrícula sobre el boceto original, ya sea directamente sobre la hoja o sobre un papel calca o acetato. Después, vuelve a hacer una cuadrícula más grande pero con las mismas proporciones y copia el contenido de cada cuadro de uno en uno.
Si tu boceto es del mismo tamaño que el dibujo final sólo tendrás que copiarlo en papel calca rayando el reverso del dibujo con un lápiz o con una mina de grafito, poner el dibujo calcado boca arriba en la mesa de trabajo y subrayar las líneas con un lápiz afilado. Otra alternativa es utilizar papel de transferencia no graso, de venta en tiendas especializadas, que suele dar mejor resultado y ensucia menos.

También es útil tener acceso a una fotocopiadora que pueda ampliar o reducir imágenes. O, si dispones de una computadora, puedes escanear tu boceto, si no es demasiado grande, para tratarlo digitalmente después. Así tendrás más control sobre el dibujo a la vez que te abres un abanico de posibilidades: puedes seguir modificando tu imagen o incluso utilizar alguna herramienta para distorsionarla, si tienes los programas adecuados. Una vez impreso, puedes pasar el boceto a tu mesa de trabajo calcando el dibujo como te explicábamos antes. Si el papel que has escogido para el dibujo final es lo suficientemente fino puedes calcarlo utilizando una caja de luz. Si no tienes una, una ventana puede ser una muy buena fuente de luz, pega el papel al cristal con cinta adhesiva y cálcalo.

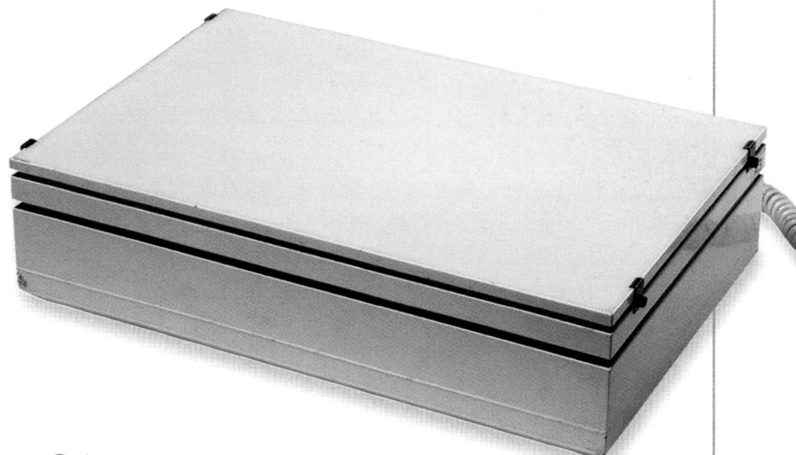

CAJA DE LUZ
La caja de luz es una herramienta muy útil para transferir diseños y estampados de un papel a otro. La caja tiene una superficie traslúcida y está iluminada desde dentro, por lo que crea una superficie clara sobre la que puedes calcar tu trabajo.

Para llevar a cabo los dibujos y pinturas que te mostramos en este libro, o para realizar tus versiones de ellos, necesitarás una selección de las herramientas y materiales que aparecen aquí y en las páginas siguientes. Éstos son los materiales que nuestros artistas han utilizado, pero si prefieres usar otros o no puedes permitirte comprar material muy caro, utiliza lo que tengas a la mano. Algunas de las imágenes se han elaborado digitalmente, pero, tranquilo, si no dispones de los programas necesarios, se pueden dibujar y colorear igual del modo tradicional. Encontrarás las técnicas relacionadas con cada medio en las págs 18 a 25.

PAPEL

Utiliza papel de dibujo blanco normal y suave para realizar diseños a lápiz o bocetos rápidos cuando pruebes ideas nuevas, pero si vas a trabajar con colores necesitarás una selección de papeles acorde con el medio que vayas a utilizar.

PAPEL DE DIBUJO. Perfecto para dibujos a lápiz y trabajos con pluma y tinta, pero elige uno que sea de buena calidad. El papel de fotocopias es una alternativa muy asequible para probar ideas nuevas.

PAPEL DE DISEÑO. Más fino que el papel de dibujo y parcialmente traslúcido, se utiliza para perfeccionar los trabajos en determinados procesos más que para borrar y dibujar repetidas veces.

TABLERO DE ILUSTRACIÓN. Se utiliza como superficie para crear ilustraciones que después se escanearán o reproducirán en otro medio. Puede tener varias texturas, como por ejemplo el papel para acuarela, así que escoge la superficie que más se ajuste a tus necesidades.

PAPEL PARA PASTEL. Es un papel especial para pintar al pastel, tiene la textura suficiente como para absorber los pigmentos en polvo. Está disponible en varios colores y también se puede utilizar para dibujos a lápiz policromo.

PAPEL CALCA. Muy útil para calcar fotografías o cualquier otra imagen de referencia, e imprescindible cuando utilices la caja de luz (ver pág. 13). Hay que tener en cuenta que las líneas a lápiz suelen emborronarse enseguida.

PAPEL SECANTE. Si lo colocas bajo la mano con la que dibujas evitarás que la grasa o la humedad lleguen al dibujo. También se utiliza para quitar el exceso de pintura.

PAPEL PARA ACUARELA SUAVE (PRENSADO AL CALOR). Sirve para realizar la mayoría de los dibujos y pinturas, incluso para lápices policromos y pintura acrílica. En cambio, no sirve para acuarela húmeda o para pasteles.

PAPEL PARA ACUARELA RUGOSO (PRENSADO EN FRÍO) Este papel tiene una textura más rugosa y es la opción más corriente para el trabajo con acuarelas, rotulador o aguada.

Tipos de papeles para acuarela.

CÓMO ESTIRAR EL PAPEL

El papel para acuarela se fabrica en diferentes gramajes o grosores y tendrás que estirar los que sean más finos antes de utilizarlos para que no se encojan cuando apliques la acuarela. Al estirar el papel antes de pintarlo conseguirás una superficie lisa y plana sobre la que trabajar. Esta superficie permanecerá plana mientras trabajes y el dibujo final también se secará plano. Estirar el papel no es complicado y además podrás ahorrar comprando papel de poco grosor. Si puedes doblar la hoja de papel fácilmente entonces es que tienes que estirar la hoja.

1. Corta 4 tiras de cinta de pintor del largo deseado (tiene que llegar hasta los bordes de la hoja) antes de mojar la hoja o la cinta.

2. Humedece la hoja de papel por ambos lados, o bien sumérgela un momento en un barreño o en una pila.

3. Humedece la cara adhesiva de la cinta; después, gírala y pégala en los bordes de la hoja ayudándote de una esponja. Déjalo secar.

LÁPICES Y GOMAS DE BORRAR

Los lápices tienen varias durezas. H significa que son de dureza blanda y B que son negros. Hay varios tipos de gomas de borrar, pero evita las que sean muy duras ya que dejan un rastro de grasa y pueden dañar el papel.

TIPOS DE LÁPICES

HB sería un lápiz de dureza media y que sirve prácticamente para todo; 2B y 4B son de menos dureza y más útiles para bocetos o trabajos expresivos.

PORTAMINAS

Son una alternativa muy útil a las minas recubiertas de madera. Admiten varios tipos de minas, por lo que puedes cambiarlas dependiendo del uso que les vayas a dar.

GOMAS DE BORRAR

Las gomas de borrar blancas de plástico son las más adecuadas para borrar grandes áreas de lápiz. Quita los restos de la goma con un pincel suave antes de seguir dibujando. Una goma afilada puede utilizarse para borrar pequeñas áreas y obtener brillos.

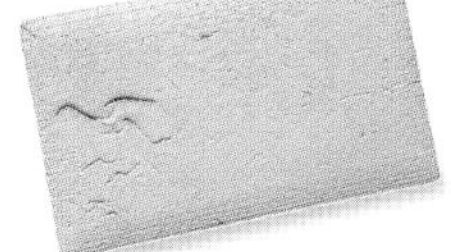

Lápices acuarelables.

LÁPICES POLICROMOS

Los lápices policromos los utilizan, en su mayoría, ilustradores, generalmente para dibujar detalles, aunque los más blandos también pueden utilizarse para difuminar áreas grandes. Se fabrican en gran variedad de colores o también se pueden comprar en cajas de 12 o más colores diferentes.

LÁPICES CRETA POLICROMOS. Pueden utilizarse difuminados para crear efectos suaves si frotas la superficie pintada con un difumino (ver más abajo) o con un dedo limpio.

LÁPICES POLICROMOS A LA CERA. Perfectos para detalles pero no se difuminan tan bien como los cretas. Ambos pueden mezclarse en una misma lámina coloreando en varias capas.

LÁPICES ACUARELABLES POLICROMOS. Se pueden utilizar en seco, como cualquier otro lápiz policromo, o se pueden extender aplicando un poco de agua con un pincel húmedo para suavizar las líneas.

PASTELES Y LÁPICES PASTEL

Los pasteles blandos se quiebran más fácilmente y dejan borrones, por lo que no son recomendables para ilustraciones detalladas. Además suelen ensuciar mucho y necesitarás una gran superficie de trabajo o una buena lámina donde quedará todo el polvo que sueltan. Los pasteles duros y los lápices pastel, en cambio, son más cómodos de usar, dan buen resultado sobre acuarela o pintura acrílica para definir detalles y crear varias texturas.

PASTELES DUROS

Muy útiles a la hora de cubrir grandes áreas, como paisajes, por ejemplo, ya que puedes aplicarlos de lado.

DIFUMINO

Es un rollo de papel compacto que se utiliza para mezclar pequeñas áreas en las que se ha aplicado pastel o lápices policromos.

LÁPICES PASTEL

Son más duros que los pasteles tradicionales envueltos en papel, pero más blandos que los lápices policromos. Se mezclan fácilmente.

PLUMAS Y TINTAS

Dibujar con pluma significa hacerlo con muchos detalles y con trazos claros. La pluma y la tinta suelen utilizarse junto con acuarelas o pinturas acrílicas aguadas (ver págs. 22 a 25), pero como existen una gran variedad de plumas y de tintas se puede completar una ilustración usando tinta únicamente.

BOLÍGRAFOS Y ROTULADORES DE PUNTA FINA

Materiales de dibujo baratos y útiles, aunque no hay mucha variedad de puntas. Los rotuladores suelen tener una tinta más aguada que los bolígrafo

PORTAPLUMAS

Portaplumas con plumillas intercambiables para trazar líneas de diversos grosores. Las plumas ralentizan un poco el trabajo ya que hay que recargar el depósito de tinta después de cada trazo.

PLUMAS ESTILOGRÁFICAS

Plumas con plumilla metálica y cartucho de tinta. Proporcionan un flujo de tinta continuo.

PLUMAS CON PUNTA DE FIBRA

Disponibles en puntas de diferentes diámetros y colores, su trazo es más mecánico que el de las plumas que llevan plumillas metálicas.

TINTA CHINA

Tinta tradicional que se usa para plumas sin cartucho. También se puede aplicar con pincel.

TINTAS SOLUBLES EN AGUA

Si se utiliza junto con acuarelas aguadas, parte de la tinta se disolverá hasta extenderse y suavizar las líneas.

TINTAS ACRÍLICAS

Se pueden diluir en agua o mezclar en una paleta, pero una vez secas son totalmente resistentes al agua.

PINCELES

Los pinceles suaves de pelo de marta (muy caros), de fibras sintéticas o de una mezcla de fibras sintéticas y pelo de marta se pueden utilizar tanto para acuarela como para pinturas acrílicas. Cuando trabajes con éstas últimas, asegúrate de que los pinceles están bien limpios antes de que se empiecen a secar o quedarán inservibles.

PINCELES PARA ACUARELA

Hay de dos formas básicas: redondos acabados en punta o planos, que son más útiles para colorear grandes áreas. No necesitarás más de dos pinceles redondos y uno plano.

PINCELES PARA PINTURA ACRÍLICA

Los pinceles de cerda que se utilizan para la pintura al óleo te servirán también para la acrílica si aplicas una buena capa de pintura. Los pinceles de nailon, de dureza media y bastante flexibles, te irán perfectos para aplicar capas de pintura más ligeras.

ACUARELAS Y TÉMPERAS (*GOUACHE*)

A pesar de haber sido consideradas generalmente como pinturas poco serias, más propias de dibujos de florecitas que de animales feroces, la verdad es que las acuarelas pueden crear efectos fuertes e intensos. También se pueden combinar con prácticamente cualquier otro tipo de material de dibujo y coloreado, así que si no te gusta el resultado puedes colorear encima con lápices policromos, o pintura acrílica o *gouache*. Esta última es la versión opaca de la acuarela y se utilizan juntos muy a menudo.

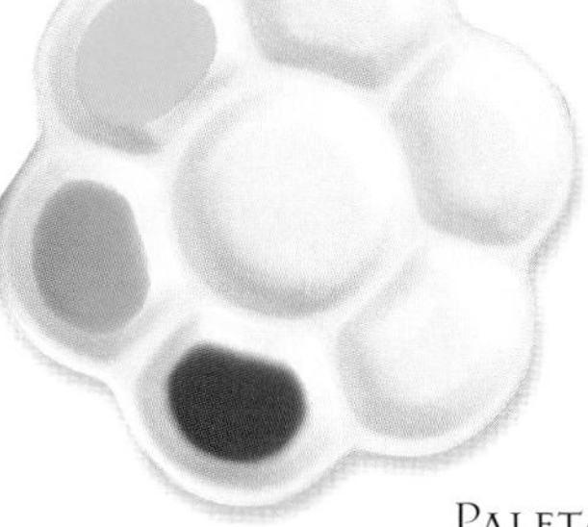

PALETAS
Aunque venden también paletas de plástico muy baratas, preferirás trabajar con las de cerámica. No utilices una de plástico para pintura acrílica porque teñirá la paleta permanentemente.

TUBOS Y CAJAS
Las acuarelas están disponibles en cajas planas listas para usar, o en tubos. Los tubos dan mejor resultado en colores intensos, pero necesitarás una paleta o algo similar donde extender el contenido de los tubos.

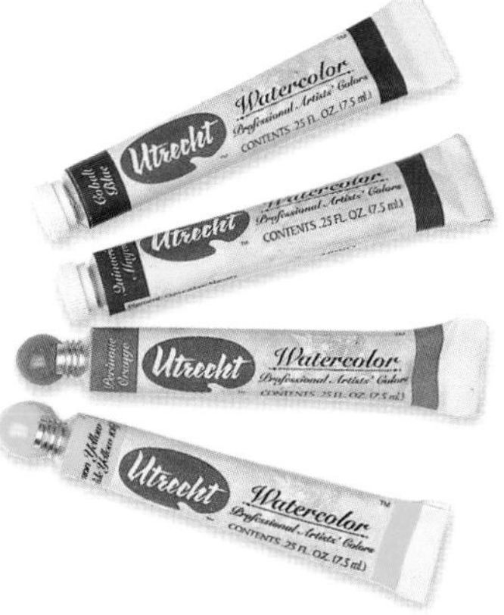

COLORES PARA ARTISTAS Y PARA ESCOLARES
Todas las pinturas se fabrican en dos versiones, la más cara es para artistas y lleva pigmentos más puros. Las mejores son éstas, pero para empezar te iría bien hacerte de un juego de colores para estudiantes.

PINTURAS *GOUACHE*
Se venden en tubos un poco mayores que los de acuarela. Se pueden mezclar con estas últimas y la pintura *gouache* blanca se aplica sola o mezclada para conseguir brillos.

PINTURAS ACRÍLICAS

Es la manera de colorear más versátil y se pueden conseguir gran variedad de efectos si se saben utilizar bien. Se puede pintar con ellas en varias capas transparentes de pintura aguada o aplicar una cantidad mayor con un pincel de cerdas o con una espátula para lograr una textura más espesa. Las pinturas acrílicas pueden tener varios niveles de consistencia, desde líquida hasta casi compacta, y varios niveles de transparencia y tipos de acabado.

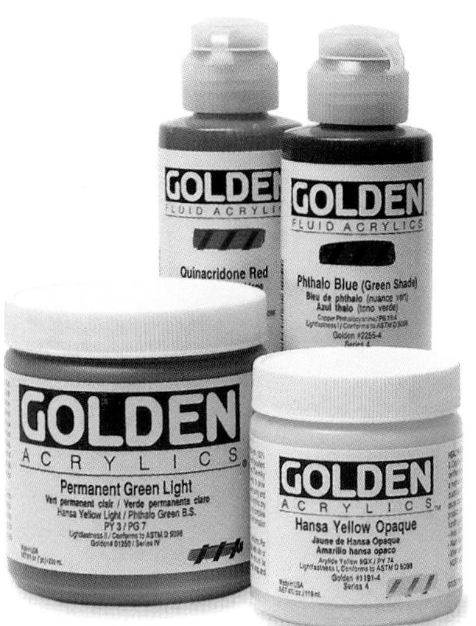
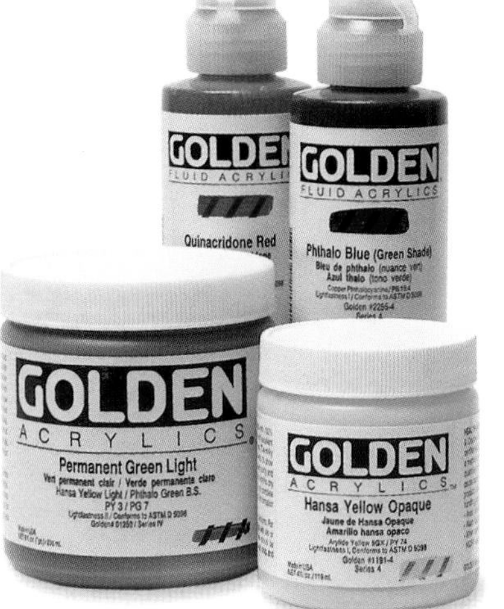

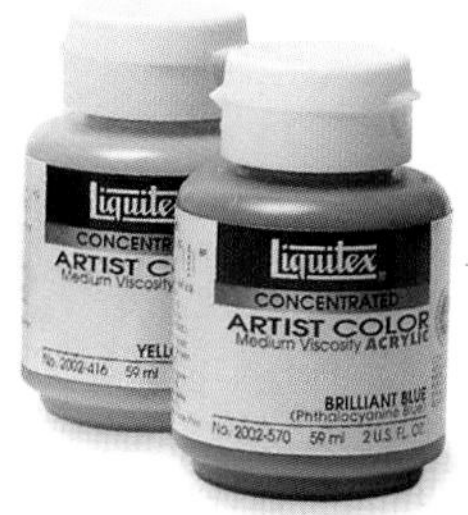

TARROS Y BOTELLAS
La pintura acrílica se puede comprar en tarros y en botellas de plástico con tapa de las que sale la pintura al apretar. Esta pintura es más líquida que la que se vende en tubos.

TUBOS
Los tubos de pintura acrílica suelen ser de un tamaño estándar, excepto el tubo de pintura blanca, que suele ser mayor por ser más frecuente su uso.

Técnicas de dibujo y coloreado

Cuando hayas acondicionado tu lugar de trabajo tendrás que empezar a pensar qué sistema de dibujo y coloreado va más acorde con tu forma de expresarte. Las páginas siguientes te servirán como fuente de inspiración. Una de las ventajas de dibujar y colorear es que siempre aprendes algo nuevo. Hay artistas que se especializan en un medio y lo explotan al máximo; para otros la gran variedad que existe les parece tan fascinante como la visión que están intentando recrear. Siempre hay algo nuevo que probar. Además, ten en cuenta que la mayoría de medios pueden usarse solos o en combinación con otros, y pasa lo mismo con las diferentes técnicas. Así que prepárate para llevar a cabo los experimentos que sean necesarios hasta encontrar un método con el que te sientas cómodo y que te permita reflejar la imagen que tienes en la cabeza.

Lápiz de grafito

El lápiz de mina corriente puede parecer un instrumento muy mundano, pero cuando se inventó, allá en el siglo XVI, revolucionó el mundo de la pintura, ya que los artistas reconocieron al instante su superioridad con respecto a las herramientas de dibujo anteriores. Un lápiz de grafito será probablemente la herramienta de dibujo más versátil que puedas llegar a tener, así que no los subestimes. Con ellos puedes dibujar una infinidad de trazos y tonos diferentes de gran calidad y tienes la posibilidad de escoger entre varios grados de dureza. Los lápices normales vienen recubiertos de madera pero también puedes comprar una barra de grafito tal cual, perfecta para crear grandes sombras, ya que puedes utilizarla de lado en vez de por la punta.

Sombreado de trazos
Para lograr este efecto se acumulan varias tonalidades a base de trazos rápidos en la misma dirección. Para acentuar alguna sombra dibuja unos trazos más pronunciados sobre la zona deseada.

Sombreado de rejilla
Se trata de una técnica estándar que sirve para cualquier elemento monocromo. Primero se realiza una capa de trazos en una dirección y luego se aplica otra capa encima pero en la dirección contraria. Cuanto más juntas y densas sean las líneas, más oscuro resultará el sombreado.

Sombreado en zigzag
Esta técnica suele parecer más natural que el sombreado de rejilla. En vez de trazar sólo líneas, no levantes el lápiz del papel y muévelo realizando un movimiento de zigzag. Consigue tonalidades más oscuras o más claras regulando la presión de los trazos.

Sombreado difuminado
Se pueden crear zonas más opacas y degradados suaves trazando líneas juntas con un lápiz sin punta. Puedes suavizar aún más las líneas si difuminas las líneas con el dedo.

Sombreado borrado
Se pueden aclarar las tonalidades y conseguir o resaltar brillos borrando áreas sombreadas con la ayuda de una goma de borrar con la forma adecuada. Dependiendo de la zona que quieras resaltar y del efecto que busques puedes borrar a golpes o en línea recta.

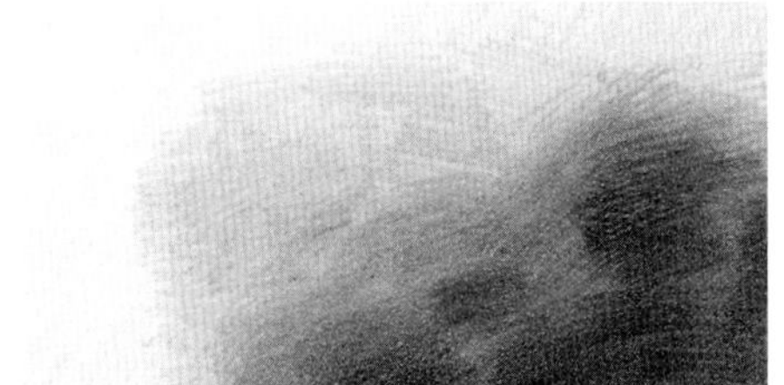

Sombreado con varias durezas
Conseguirás más variedad de tonalidades si utilizas lápices de diferentes durezas: duros para las tonalidades claras, y blandos para las oscuras. Puedes superponer capas de lápiz blando sobre otras de lápiz duro, o puedes utilizar una determinada dureza para cada área del dibujo.

LÁPICES POLICROMOS

Si quieres añadir color a tus dibujos, pero te sientes más cómodo con el lápiz que con el pincel, los lápices policromos son perfectos para ti. Existen varios tipos, algunos grasos, otros terrosos... pero todos fáciles de combinar. Si puedes, te recomiendo que los pruebes antes para saber con cuáles trabajas mejor; los venden sueltos o en cajas. Los lápices acuarelables entran en otra categoría ya que pueden aclararse con agua y un pincel como si fueran acuarela.

COMBINAR CON TRAZOS

Puedes mezclar colores o conseguir tonos nuevos trazando líneas en una misma dirección con lápices policromos de distinto color.

COMBINAR CON REJILLA

Este método es excelente para sombreados delicados y transiciones de color. Puedes variar las tonalidades de un color, modificando las capas de trazos y superponiéndolas en diferentes ángulos.

COMBINAR CON ZIGZAG

Este método consiste básicamente en lo mismo que el sombreado en zigzag a lápiz, pero al utilizar lápices policromos se consigue un sombreado mucho más denso, rico y coloreado. Se suelen superponer los colores oscuros sobre los claros.

DIFUMINAR

Mezcla lápices policromos frotando la parte coloreada con un poco de algodón, papel arrugado o con los dedos para lograr un efecto borroso suave. Los lápices de textura terrosa son los más adecuados para esta técnica.

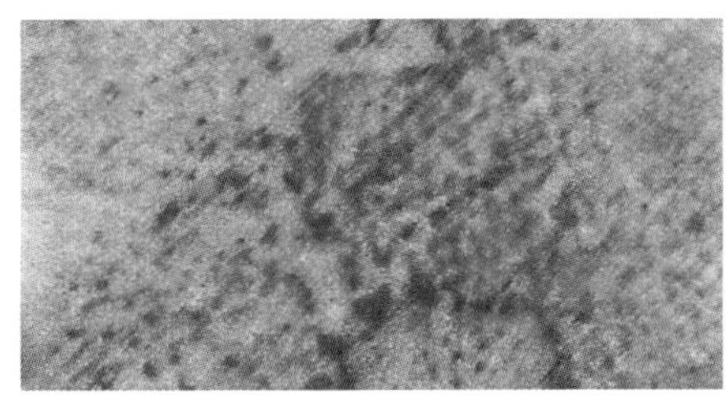

FROTTAGE

Si colocas la hoja de dibujo sobre una superficie plana pero con alguna rugosidad debajo, como por ejemplo un trozo de tela gruesa, y luego sombreas con lápices policromos, la rugosidad se reflejará en el papel.

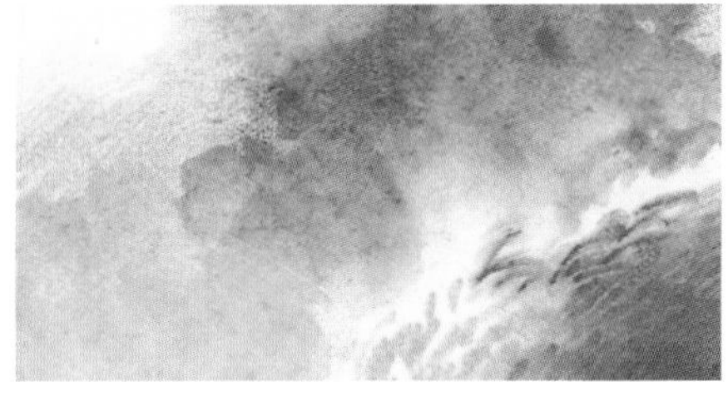

LAPICES SOLUBLES EN AGUA

También conocidos como lápices acuarelables, te permitirán combinar las técnicas de la acuarela con las del rayado. Puedes empezar trazando líneas y luego extenderlas con un pincel húmedo o dibujar directamente sobre un papel mojado.

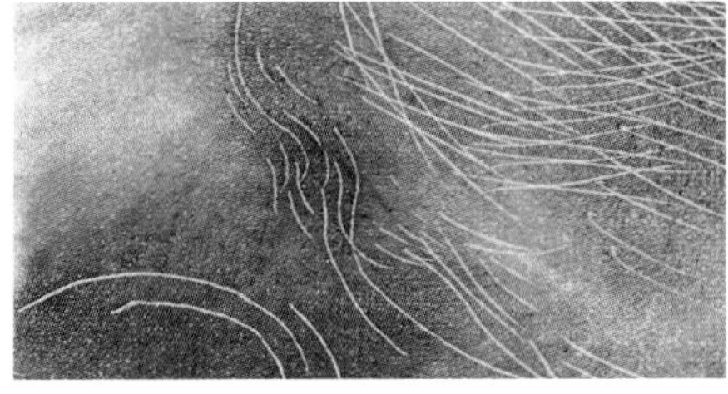

ESTAMPAR

Si marcas el papel con una herramienta adecuada, como el mango de un pincel fino, y luego dibujas encima, las marcas quedarán blancas. Aquí se ha utilizado la punta gastada de un compás para crear un diseño de líneas finas.

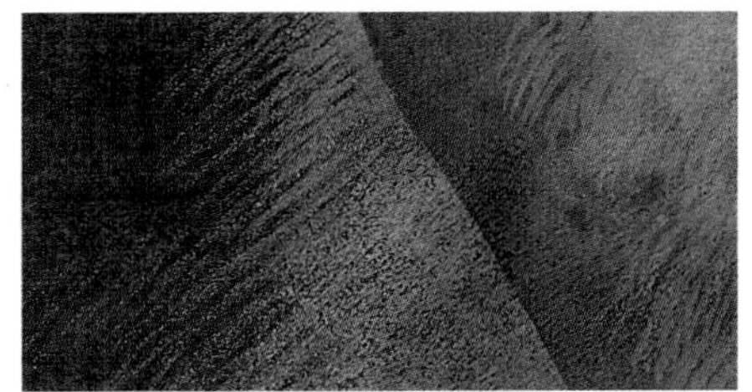

LÁPIZ CLARO SOBRE PINTURA OSCURA

Se pueden utilizar lápices de colores claros sobre acuarela o pintura acrílica oscura para crear detalles. A esta capa se pueden superponer más capas de pintura y lápiz aplicando la técnica de superposición.

LÁPIZ OSCURO SOBRE PINTURA CLARA

A las acuarelas de tonos claros o a la pintura acrílica se le pueden añadir otros colores con lápices de tonos oscuros para resaltar detalles o texturas diferentes.

Dibuja con tinta

La forma más antigua de dibujar es hacerlo con tinta. Existen gran variedad de plumas, desde las que no llevan cartucho y funcionan con plumillas intercambiables hasta las plumas con depósito incorporado que ya llevan su propia tinta. Al igual que con las otras técnicas de dibujo, la clave está en la experimentación, ya que al utilizarlas notarás que cada una es diferente. Las plumas con punta de fibra desprenden un flujo de tinta constante; las tradicionales con plumilla metálica trazan líneas más variadas. Los dibujos a tinta, ya sean con pluma o con pincel, son incorregibles así que experimenta primero con varias herramientas para saber el resultado que obtendrás antes de utilizarlo sobre un dibujo terminado.

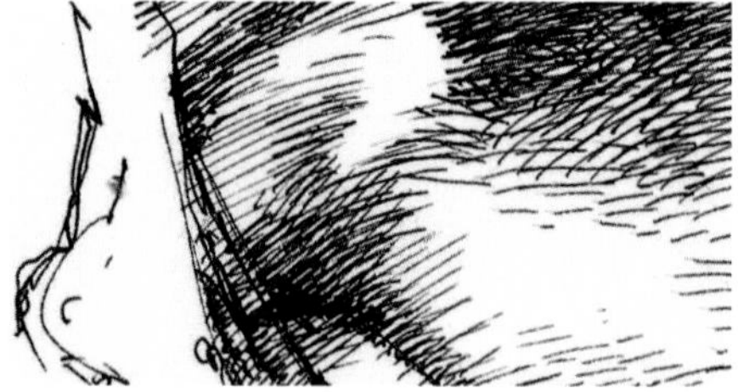

Plumas con plumilla

Una pluma con plumilla y cartucho de tinta (estilográfica) puede utilizarse para dibujos detallados y densos o para bocetos abiertos a la imaginación.

Plumas sin cartuchos

Una pluma sin cartucho requiere que la empapemos en tinta muy a menudo, lo que da lugar a unos trazos poco uniformes. A pesar de eso, el dibujo puede ser rayado y dinámico. Existen diferentes tipos de plumillas, según su forma y tamaño.

Pincel y tinta

Dibujar con pincel produce una línea fluida y orgánica. Estas líneas pueden ser finas o gruesas dependiendo de la presión del trazo, y para conseguir tonos más claros desvanece la tinta hasta el final del trazo.

Rotulador de punta fina

Estas plumas finas y con reserva trazan unas líneas bastante consistentes y mecánicas, aunque si dibujas sobre una superficie blanda podrás conseguir variaciones. Sirven para realizar sombrados de rejilla muy densos.

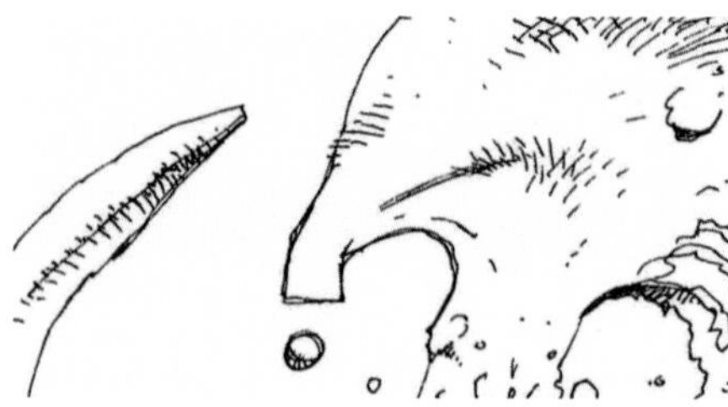

Rapidógrafos

Los venden en diferentes tamaños y se usan principalmente en dibujo técnico, pero también sirven para dibujar bocetos y para crear líneas extravagantes o con aspecto de garabato. Su tinta es resistente al agua y su trazo, constante.

Perfil en tinta y color base

Esta técnica clásica consiste en trazar las líneas de tinta primero, y después añadir el color base pero no las sombras. Este proceso es más espontáneo que dibujar sobre aguada.

Tinta sobre color

Puedes utilizar plumas de tinta negra sobre zonas amplias coloreadas en acuarela para escoger y crear formas. Este método es muy útil cuando se quieren dibujar detalles naturales espontáneos: la pluma sigue las formas que se han creado previamente con las acuarelas.

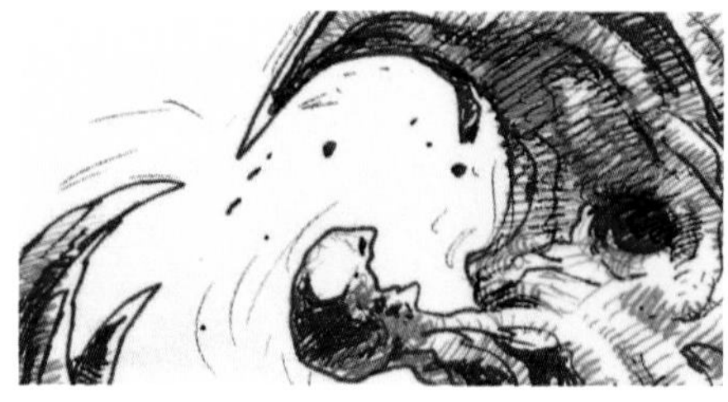

Perfil en color

Los rotuladores de dibujo, igual que las tintas, vienen en todo un surtido de colores. Si trazas varias líneas utilizando diferentes colores, ya sea con un punta fina o con una pluma, puedes lograr toda una serie de efectos y de texturas sobre una superficie coloreada.

Bolígrafos

Son excelentes herramientas de trabajo para realizar bocetos rápidos y espontáneos o para trabajar en dibujos más complicados junto con otros bolígrafos. A pesar de lo que pueda parecer a simple vista, hay bolígrafos negros de diferentes tonalidades; algunos pueden crear líneas bastante grises, como se observa en este ejemplo.

COLOREAR CON TINTA

Las tintas de dibujo están disponibles en gran variedad de colores, por lo que tienes muchas posibilidades para colorear tu bestia. Estas tintas son transparentes, así que para mezclarlas en tu dibujo te bastará con aplicar un color sobre una capa de otro color.
Las tintas embotelladas también pueden mezclarse sobre una paleta y después diluirse con agua para lograr diferentes tonalidades. Las tintas deben aplicarse de más clara a más oscura, pero también puedes modificar un tono oscuro aplicando uno más claro sobre él. Si las vas a mezclar sobre papel, evita acumular muchas capas porque el papel podría deshacerse. La tinta penetrará en papeles para acuarelas, pero permanecerá en la superficie de papeles de textura más suave, así conseguirás colores más sólidos.

TINTA ACRÍLICA
Una vez seca, esta tinta es resistente al agua, lo que te permite trabajar aplicando varias capas, una encima de la otra, sin estropear los colores de las primeras. El pigmento es muy fino y queda mucho más suelto que el de otras tintas generando una capa de color más fina.

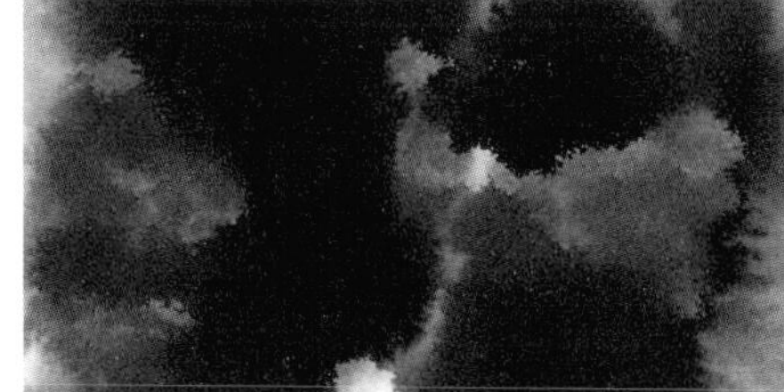

QUITAR COLOR
Quitando color con un papel o dando ligeros toques antes de que se seque la pintura se pueden crear pequeños brillos o efectos interesantes.

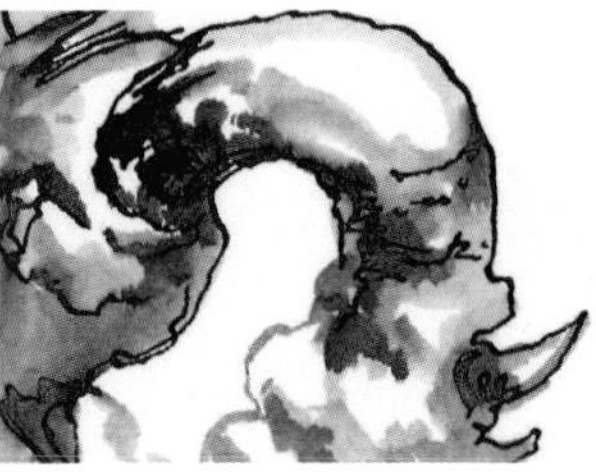

ARRASTRAR EL COLOR
Si dibujas rápidamente con una pluma con tinta de color resistente al agua, y luego utilizas un pincel mojado para arrastrar el color desde las líneas del perfil, lograrás un efecto de aguada.

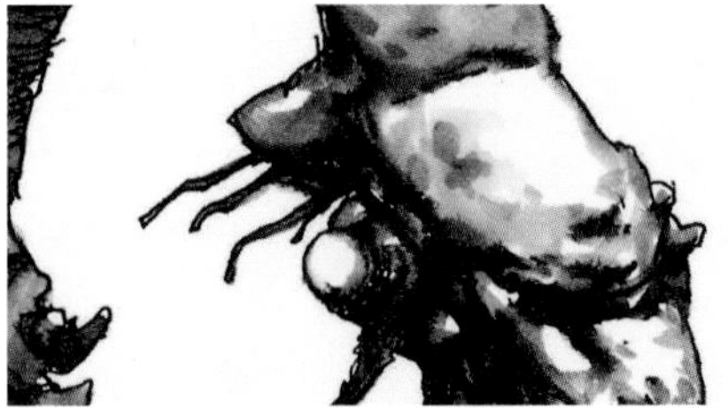

TINTA SOLUBLE EN AGUA
Esta tinta sigue siendo soluble en agua incluso después de secarse, por lo que puedes aclarar o extender las líneas aclaradas. Puedes hacerte de una tinta soluble en agua para tu pluma sin cartucho o utilizar una pluma estilográfica como la que se ha utilizado para este ejemplo.

RESISTENTE A LA CERA
Se pueden lograr efectos estupendos dibujando con ceras de colores claros y aplicando una capa de tinta. No penetrará en las zonas donde haya cera; entre más fuerte sea la marca de la cera, mayor será la resistencia.

CAPAS DE COLORES
Las tintas resistentes al agua son las mejores para el método de superposición de capas porque los colores que apliquemos después no se mezclarán con los de la capa anterior. Igual que con las acuarelas, pasa de los tonos claros a los oscuros.

ESPONJA SECA
Puedes utilizar una esponja seca para extraer la tinta aplicada sobre papel mojado para crear sutiles cambios de color y de tonalidades. Las diferentes texturas de la esponja se reflejarán en los efectos que consigas.

ESPONJA HÚMEDA
Las esponjas también se pueden utilizar para aplicar tinta y dan lugar a texturas impredecibles, muy interesantes. Se pueden aplicar varias capas con diferentes colores.

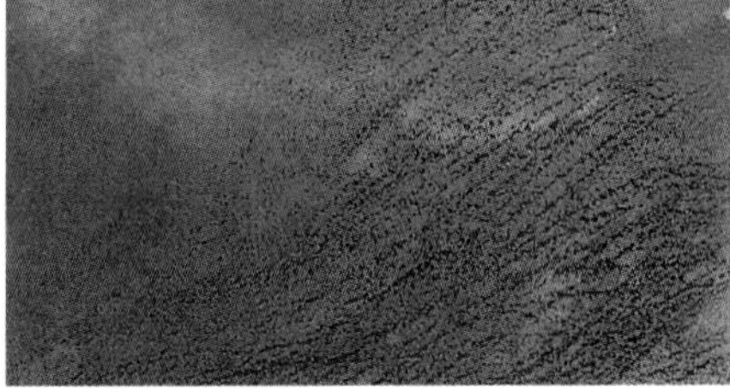

RASCADO
Si rascas la superficie del papel conseguirás texturas rugosas. En este ejemplo, se ha aplicado tinta sobre papel rascado y después color a lápiz con la punta inclinada para resaltar las marcas.

ACUARELA

Sería necesario un libro entero para hablar de las técnicas para pintar con acuarela, pero en éste libro sólo hay espacio para hablar de las técnicas básicas. Muchos de los métodos ya se han tratado en el apartado de las tintas en las páginas 20 y 21, como el de aplicar varias capas sin esperar a que se sequen o el de quitar color. Pero recuerda que las acuarelas no pierden sus propiedades solubles ni estando secas, por lo que si aplicas demasiadas capas podrías acabar mezclando los colores y ensuciando el dibujo. La acuarela es, probablemente, el medio de trabajo más simple: requiere pocos materiales, de entrada, y precisamente su simplicidad es una de sus mayores ventajas porque te permite utilizarla donde quieras. Puedes llevar un juego de acuarelas en el bolsillo y usarlo donde te llegue la inspiración, o en el entorno más seguro de tu estudio.

GRANULADO

Contrariamente a lo que sucede con las tintas, algunos de los pigmentos de la acuarela no se disuelven completamente al entrar en contacto con el agua, esto produce un efecto granulado que puede servirte para crear texturas.

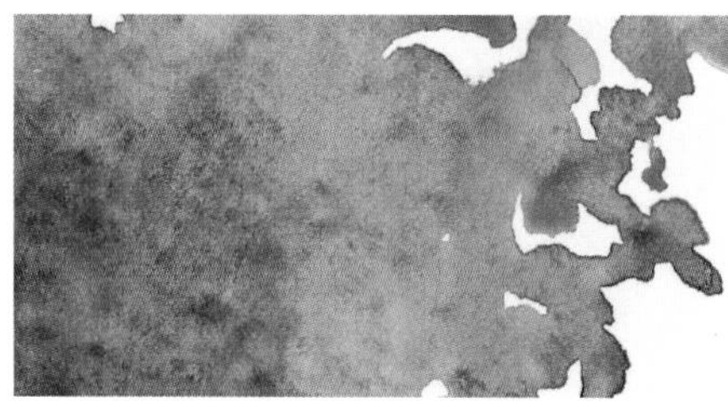

HÚMEDO SOBRE HÚMEDO CONTROLADO

Para lograr transiciones de suaves colores e interesantes efectos, dentro de una zona delimitada, aplica una capa del primer color y sobre ella añade más pintura antes de que se seque. La pintura no se extenderá a la zona de papel seca.

DISEÑOS ALEATORIOS

Ésta es una variante de la técnica de quitar color que explicamos en el apartado de las tintas. Crearás unos diseños intrigantes si dejas caer un gran trozo de papel arrugado sobre la pintura húmeda. El efecto sobre la acuarela es más impactante con la tinta.

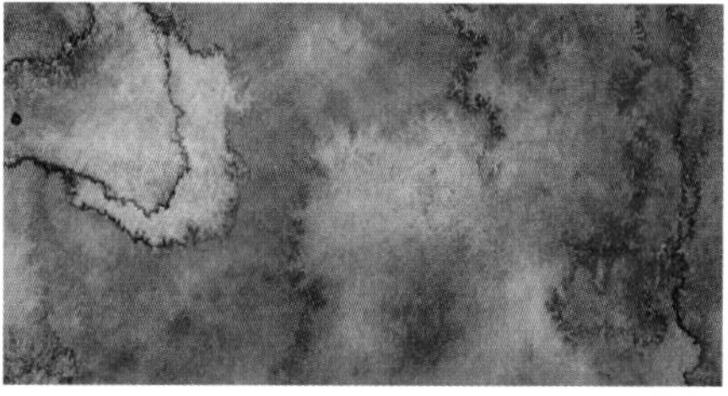

GOTEO

Dejar caer gotas de agua sobre pintura medio seca hace que el color se corra, y da lugar a una especie de borrones con bordes irregulares que te pueden ser muy útiles a la hora de representar texturas de rocas o follaje.

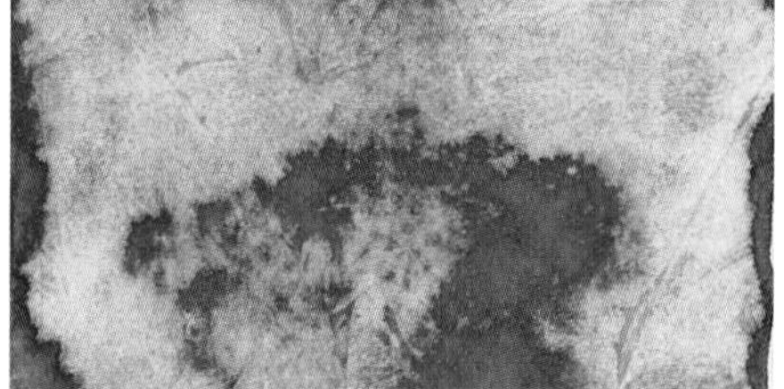

TAMPÓN

Se puede obtener un buen efecto natural para dar textura, presionando fuerte el dibujo con varios papeles sobre una zona coloreada que esté medio seca.

EFECTO NUBES

Puedes crear figuras amorfas si pasas el pincel por una zona coloreada con un color plano, dejas que se seque y luego vuelves a pasar el pincel con agua limpia y lo retiras con un poco de papel.

ACUARELA SOBRE CERA

Se trata del mismo método que te mostramos en el apartado de las tintas, pero el efecto de resistencia a la cera es mucho más limpio y fresco cuando se utilizan acuarelas. La presión con la que se aplican las ceras puede variar, como se observa en este ejemplo.

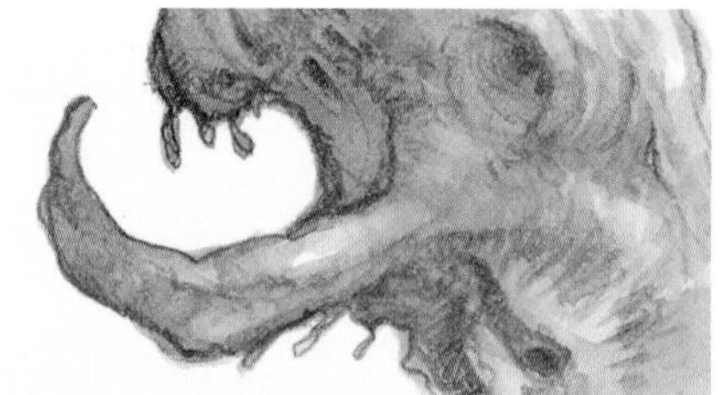

ACUARELA Y LÁPIZ

Una forma rápida de conseguir un acabado interesante y vivo es colorear los bocetos a lápiz con un tono suave de acuarela. Puedes aplicar varias capas de colores para mezclarlas en la superficie del papel.

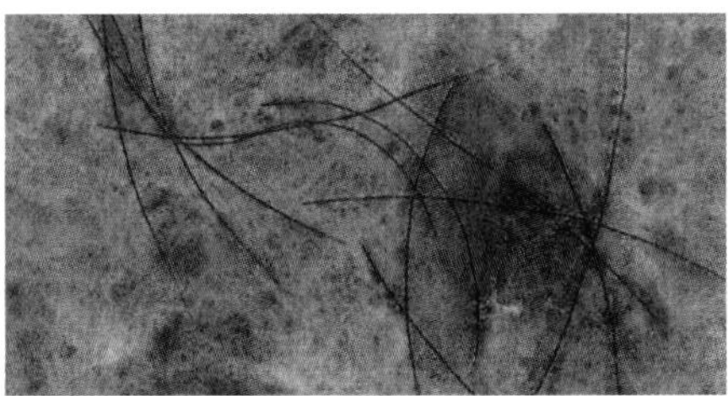

Marcado

Marca unas líneas en el papel ayudándote de alguna herramienta que esté un poco afilada o rascando la superficie con un cuchillo. Así conseguirás que la pintura se vaya a esas zonas y crearás unas líneas oscuras y claras.

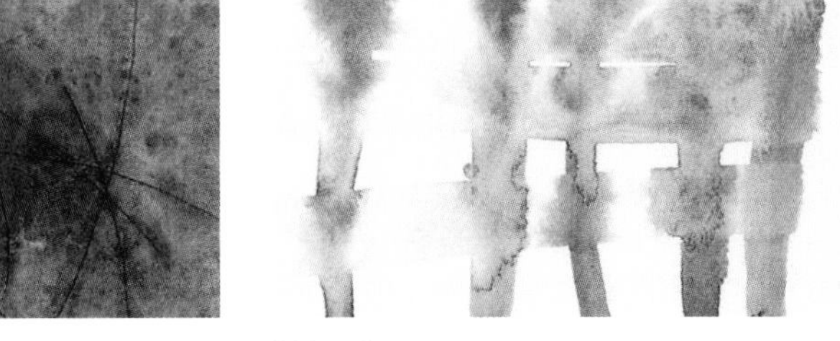

Diseños al agua

En este ejemplo, se ha dibujado sobre el papel un diseño a modo de plumas con agua limpia y después se ha aplicado color para que tiña esas formas. Esta técnica se puede utilizar en varios estadios para enriquecer diseños más complicados.

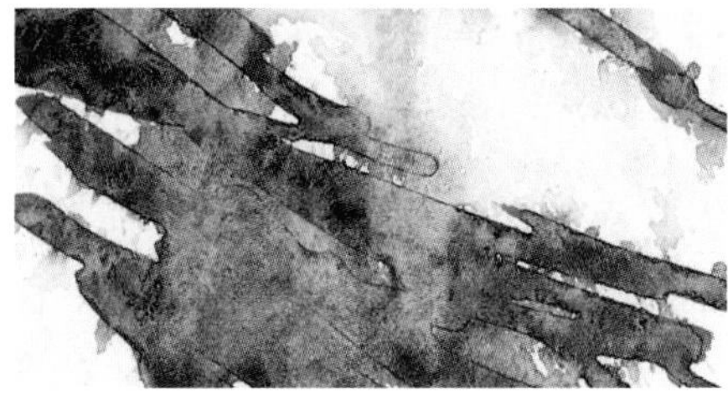

Salpicado de agua

Se pueden conseguir unos efectos moteados si se aplica un color más concentrado y sobre él se salpica agua limpia con la ayuda de un pincel o de un cepillo.

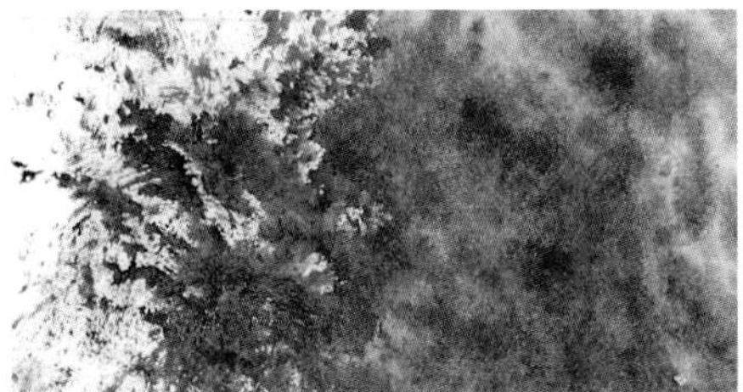

Punteado

El método tradicional consiste en construir una zona a base de pequeños trazos dibujados con la punta de un pincel redondo, pero se puede lograr un efecto similar dando pequeños toques con una esponja. Para conseguir un efecto más suave, trabaja sobre papel húmedo.

Pincel seco

Este método, utilizado a menudo en follajes, requiere impregnar la mínima cantidad de pintura posible en el pincel y luego aplicarla para que el papel no absorba el color.

Salpicado grueso

Conseguirás grandes salpicaduras de color si utilizas un pincel para acuarelas de tamaño mediano o grande.

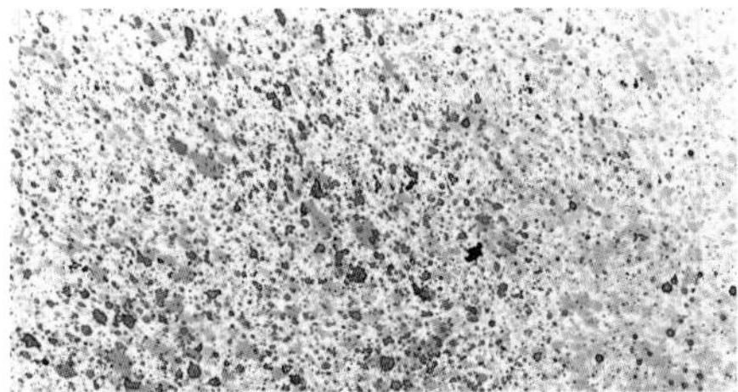

Salpicado fino

Para lograr un efecto controlado de pulverizador fino, lo más adecuado es un cepillo. Imprégnalo de pintura y luego pasa una regla o un pincel por las cerdas.

Salpicado sobre papel mojado

El salpicado sobre papel mojado crea un efecto de pequeñas motas más suave ya que el color se extiende muy poco. Cuánto más pesados sean los pigmentos, más concentradas y aisladas quedarán las motas.

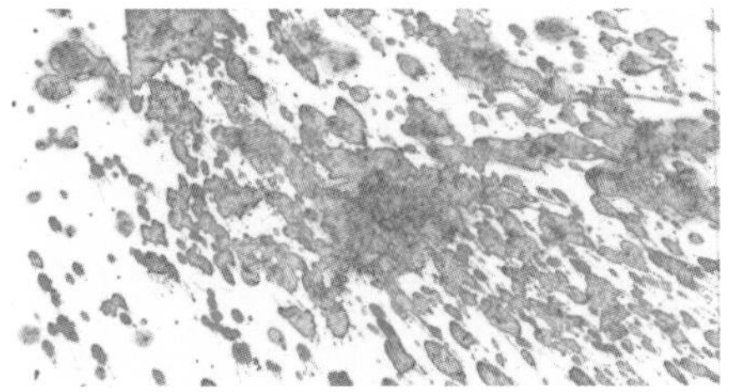

Retirar el exceso de pintura

Si dejas que una zona pintada se seque y después quitas el exceso de pintura con papel secante, puedes crear un efecto muy interesante alrededor de cada pequeña gota de pintura.

Retirar el exceso con pincel

Puedes conseguir otro efecto alrededor de las gotas quitando el exceso de pintura con un pincel.

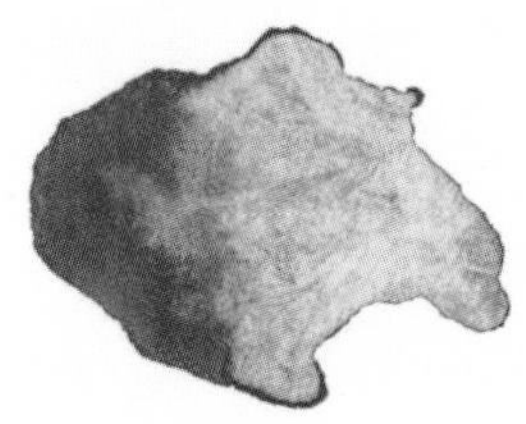

Variación de tonos

Otra manera de conseguir transiciones de las tonalidades es inclinar el tablero para que la mancha de pintura se asiente hacia uno de los lados. Después, puedes retirar el exceso de pintura aún húmeda con papel secante o con papel normal.

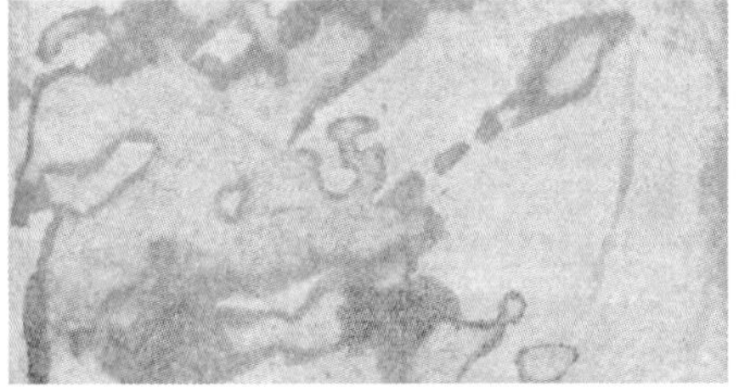

Combinación de métodos

En este ejemplo se ha combinado una técnica de aplicación de varias capas con una de quitar el exceso de pintura. Primero se aplicaron los colores dejando que se unieran, después se dejaron secar parcialmente antes de aplicar agua limpia y retirar el exceso de pintura papel.

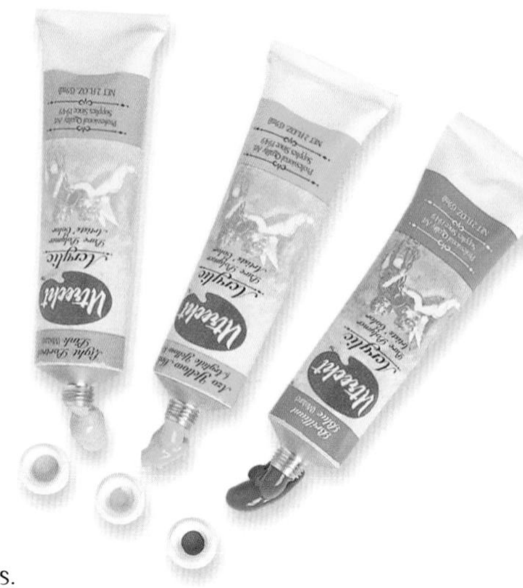

PINTURA ACRÍLICA

La pintura acrílica es el modo de pintar más moderno y para complementar el pigmento utiliza sustancias sintéticas en vez de aceites o gomas naturales. Puede aplicarse en capas gruesas, como el óleo, pero con un tiempo de secado mucho más corto; o en capas finas como la acuarela, con la ventaja de que la pintura acrílica es resistente al agua una vez seca. Es acuarelable y se puede diluir con agua, pero los fabricantes también comercializan gran variedad de productos para modificar la transparencia o textura de esta pintura. El color acrílico es resistente a la luz y bastante duradero una vez seco. Además, puede utilizarse sobre cualquier superficie porosa. Es la opción más accesible para aquellos que no dispongan de un presupuesto holgado, ya que con un simple juego de pinturas se pueden imitar el resto de colores.

HÚMEDO SOBRE HÚMEDO

Para conseguir un efecto de húmedo sobre húmedo similar al de las acuarelas, antes hay que diluir la pintura en agua. El pigmento es más fibroso que el de las acuarelas, por lo que tienden a apelmazarse. Las pinturas acrílicas mate o de brillo medio ayudarán a evitarlo.

SOBRE PAPEL MOJADO

La pintura que es muy espesa, de textura similar a una pomada, se extenderá bien sobre papel mojado. Dependiendo de la consistencia de la pintura se podrá extender más o menos.

TEXTURA IRREGULAR

Si aplicas pintura espesa sobre un papel o un tablero mojado conseguirás texturas irregulares en grandes superficies.

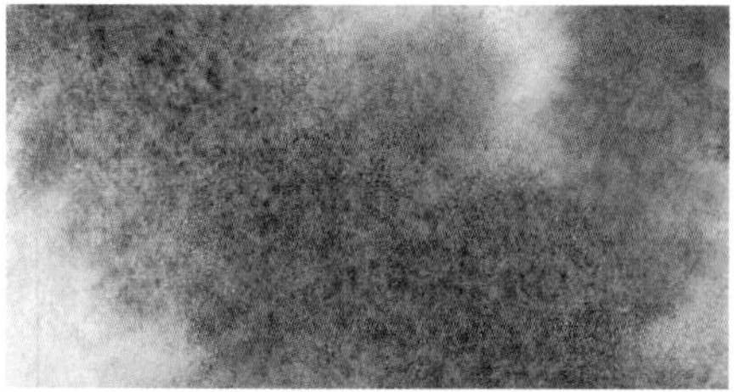

HÚMEDO SOBRE HÚMEDO EN CAPAS

Gracias a que el acrílico es completamente resistente al agua una vez seco, puedes aplicar sucesivas capas de húmedo sobre húmedo para crear complejos efectos de color.

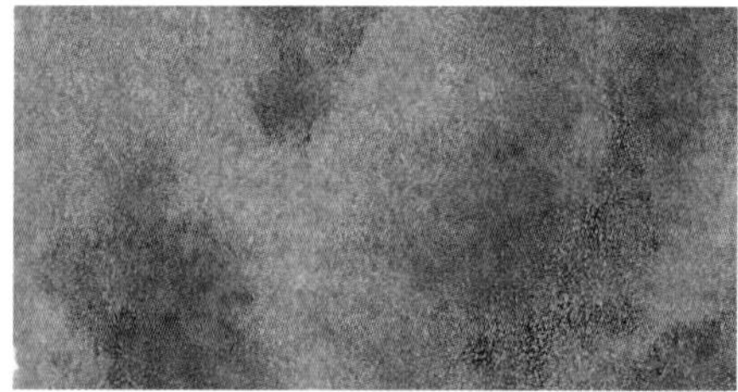

MOJADO SOBRE MOJADO

Se puede pintar mojado sobre mojado en las áreas de color plano que ya estén secas.

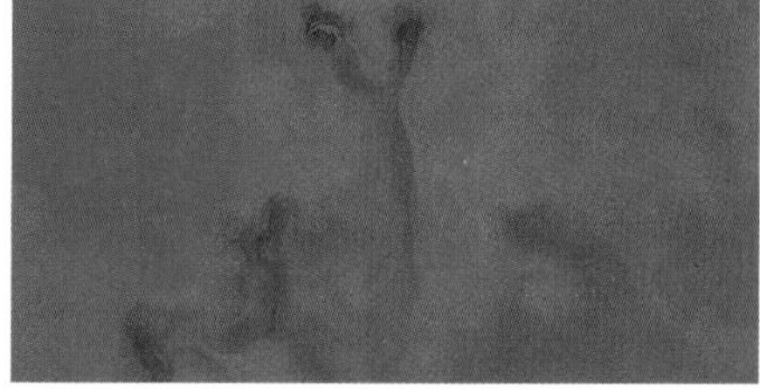

APLICACIONES OPACAS

Se pueden añadir capas de color opaco sobre otro color opaco. Sólo tienes que aplicar una capa de agua limpia entre las dos capas y así podrás crear nuevos colores a partir del resultado y, a la vez, conseguirás diversas texturas.

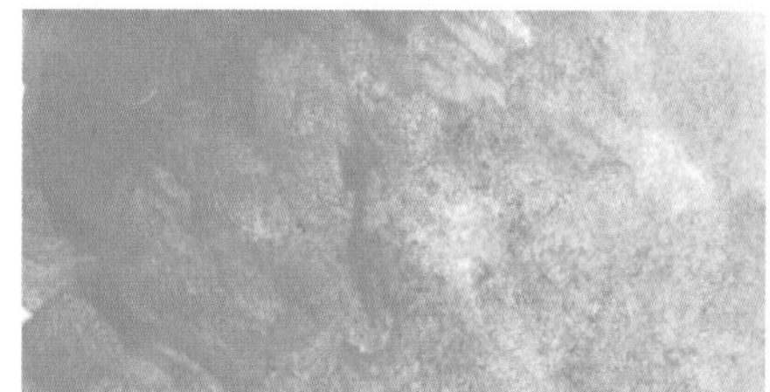

AGUA SOBRE PINTURA

Se puede trabajar sobre una capa de pintura opaca espesa que aún esté húmeda con un pincel empapado en agua. Esta técnica se puede realizar en varias capas.

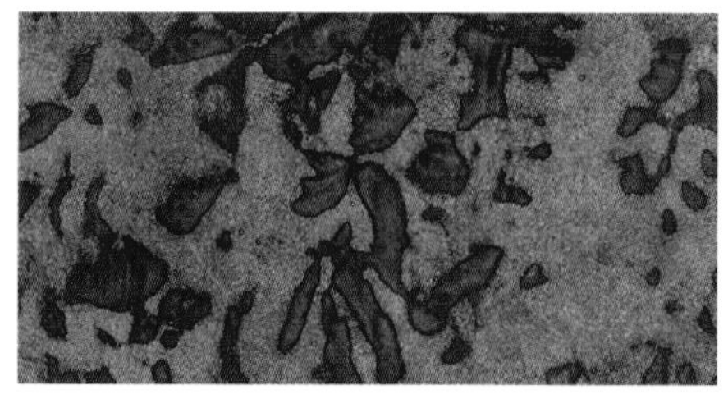

RETIRAR EL EXCESO

En este ejemplo, se ha aplicado una capa de color opaco sobre otra ya seca. La segunda capa se ha retirado con papel secante.

PINTAR CON CUCHILLO

Si pasas una espátula o un cuchillo por una capa de pintura de consistencia media cuando ya esté seca, se verá la capa de color anterior a través de la capa superior.

PINTAR CON TARJETA
Una alternativa a la espátula es una pieza dura en forma de tarjeta. Las de plástico también son útiles para aplicar pinturas de consistencia media o espesa.

DILUYENTE ACRÍLICO
Los diluyentes acrílicos se venden en botellas y están disponibles en efecto mate o con brillo, aumentan la transparencia de los colores sin alterar la consistencia de la pintura.

EFECTOS DE TEXTURA
Mezcla una zona plana de acrílico con un diluyente y lograrás un efecto elevador con varios materiales que te servirán para crear textura. En este ejemplo, se ha utilizado plástico enrollado, pero también puedes probar con una tela áspera o con papel aluminio arrugado.

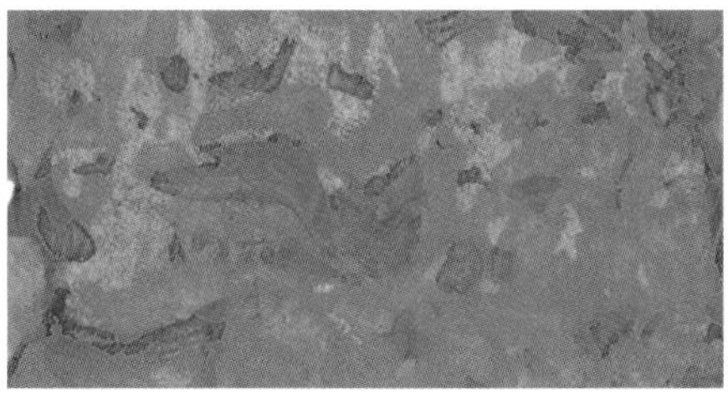

EFECTOS DE COLOR ROTO
A la pintura acrílica opaca, espesa, mezclada con diluyente se le puede retirar el exceso de pintura repetidas veces mientras todavía esté húmeda para crear diferentes capas de color roto.

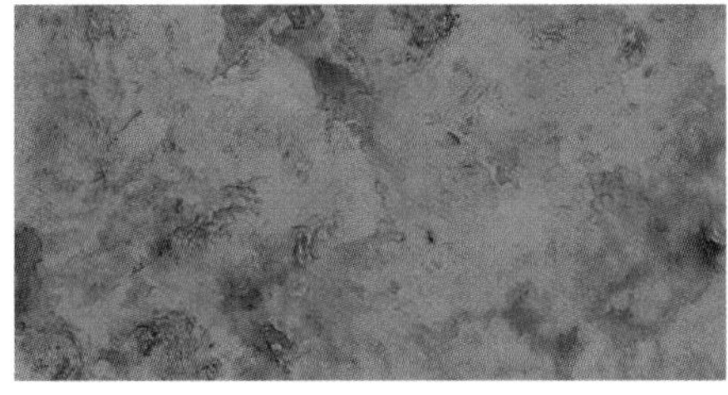

CUALIDADES DE LOS BORDES
Las pinceladas de pintura espesa, ya sea por sí sola o mezclada con algún diluyente, se secarán originando bordes y crestas muy característicos. Para acentuarlos aplica un baño transparente.

IMPASTO
Conseguirás unos efectos de cambio de color al aplicar capas gruesas y húmedas de diferentes tintes con una espátula o paleta. Esto sucede porque los colores se acaban mezclando.

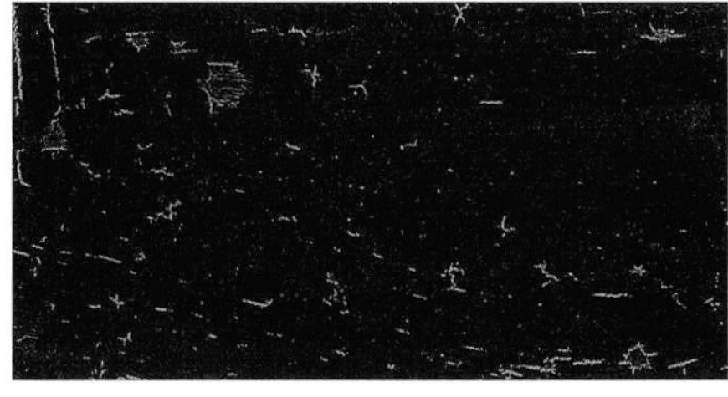

EFECTO VIDRIO
Se consigue con un diluyente que está disponible en la mayoría de las tiendas especializadas. Se trata de un barniz acrílico transparente que tiene un tiempo de secado diferente al de la pintura, por lo que se agrieta al secarse. Si utilizas una pintura espesa te quedarán pocas grietas.

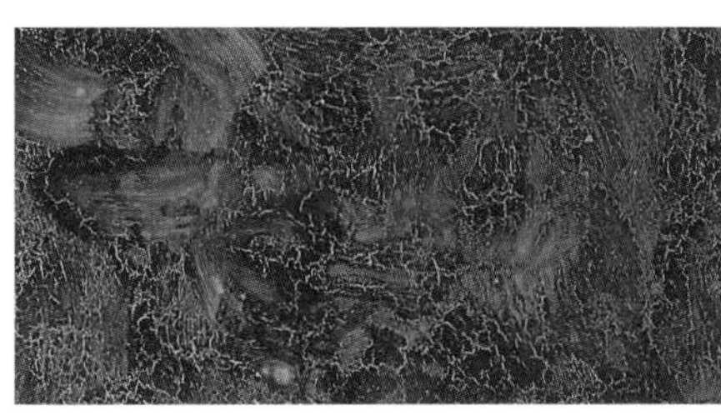

EFECTO VIDRIO CON PINTURA FINA
En este ejemplo la pintura es más fina y el efecto agrietado resulta más obvio.

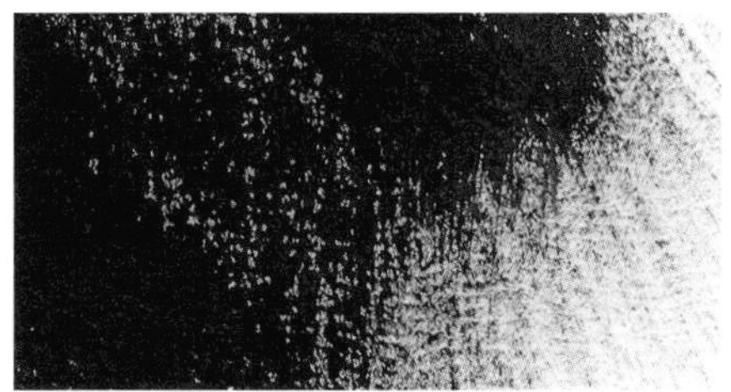

PINCEL SECO
La pintura se ha mezclado en el pincel, pero antes de utilizarlo, se ha retirado la pintura casi por completo. La cantidad de pintura que se adhiere a la textura es mínima.

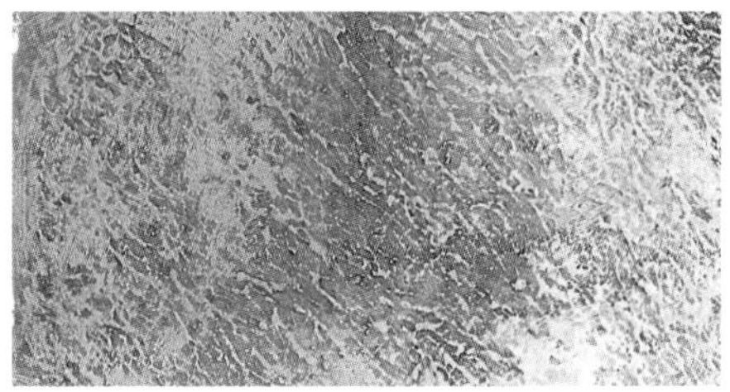

IMPASTO Y PINCEL SECO
La combinación de diferentes técnicas da lugar a efectos muy interesantes. Aquí, como textura base hemos aplicado una capa de *impasto* bastante espesa, después hemos alternado capas de pincel seco con otras de baños transparentes.

ACRÍLICO SOBRE PINTURA EN SPRAY
Los aerosoles de pintura acrílica son muy interesantes para utilizarlos como capa base antes de pintar con acrílicos.

PINTURA EN SPRAY SOBRE ACRÍLICO
Los aerosoles también se pueden utilizar sobre capas de pintura acrílica, un spray fino hará que los colores se fundan más sutilmente.

El trabajo digital

Escoger la computadora por tu cuenta. El sistema Apple Macintosh es el preferido por los profesionales del dibujo digital, pero la mayoría de los programas estándar están disponibles tanto para Mac como para PC. La mayoría de los sistemas operativos de PC incluyen un programa que te permite dibujar, colorear y editar imágenes. El programa *Microsoft Paint*, por ejemplo, viene con Windows y, aunque sea un poco básico, es un buen punto de partida para empezar a experimentar con el dibujo digital. Te permite trazar líneas a mano y crear figuras geométricas, escoger colores de las paletas disponibles o crear otros nuevos, y combinar imágenes visuales con texto.

Los escáneres también traen un paquete básico de edición de imágenes y de dibujo o, en su defecto, una versión reducida de uno de los paquetes más profesionales.

Herramientas y equipo

Cuando empieces a descubrir las posibilidades de dibujar en una pantalla, lo más probable es que quieras utilizar programas más sofisticados. Existe una gran variedad en el mercado, aunque algunos pueden ser muy caros. Sin embargo, también tienes la opción de hacerte de una versión anterior que suele ser un poco más asequible, ya que este tipo de programas se actualizan y revisan continuamente. Uno de ellos sería el *Painter Classic 1*, mucho más fácil de manejar que sus últimas y complejas versiones, ofrece una amplia variedad de herramientas de dibujo. Otro es el *Photoshop Elements* que, aunque es básicamente un programa de edición de fotografías, también te permite realizar dibujos originales y colorear imágenes.

El resto del equipo básico que necesitarás se compone de un lápiz óptico y de una tableta de dibujo. Dibujar con un ratón puede resultar bastante difícil y el resultado un tanto torpe porque se sujeta de forma diferente a un lápiz o pluma, mientras que el lápiz óptico reproduce el movimiento natural que se realiza al dibujar. Las tabletas están disponibles en diferentes tamaños, lo que conlleva una diferencia en los precios, las más pequeñas entrarían dentro del presupuesto de la mayoría de los artistas.

Tableta gráfica
Una tableta gráfica te permite trabajar de una manera más natural que un ratón.

Escáner
La mayoría de los escáneres tienen una resolución óptica alta, adecuada para escanear dibujos a trazos que luego podrás colorear.

Computadora
La computadora Apple Imac es perfecta para los artistas digitales.

Photoshop

Hay 3 maneras de seleccionar los colores en *Photoshop*: eligiendo el color de una cuadrícula estándar o personalizada (1), mezclando colores, usando las barras deslizantes (2) o escogiendo un color de la paleta de colores (3). También resulta muy sencillo conseguir el color que estés utilizando en tu trabajo haciendo click en la herramienta cuentagotas (4) y seleccionando el color que prefieras conseguir. Las cajas de primeros y segundos planos de la barra de herramientas (5) en combinación con el selector de color grande (6) te permiten controlar las zonas coloreadas. Además, hay toda una serie de pinceles estándar, de herramientas de dibujo y de opciones para personalizarlos. La barra de herramientas también tiene las opciones digitales más comunes, como son la selección, el dibujo y el clonado (8).

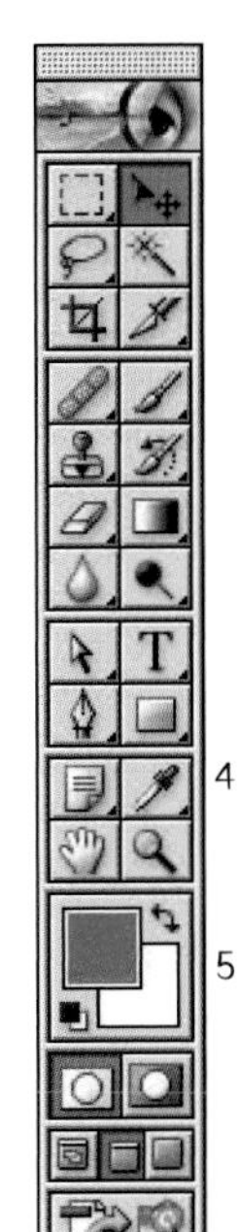

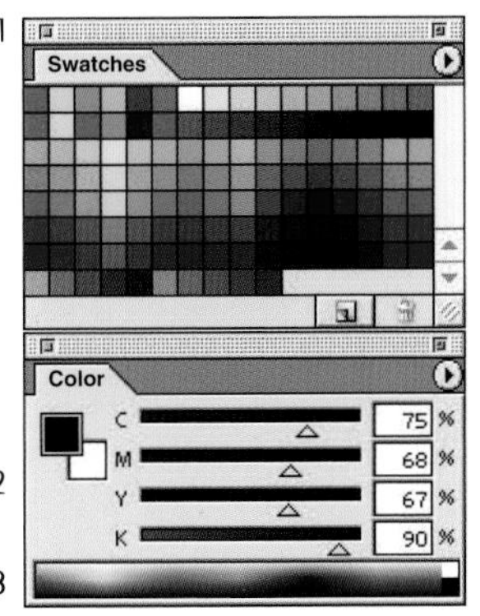

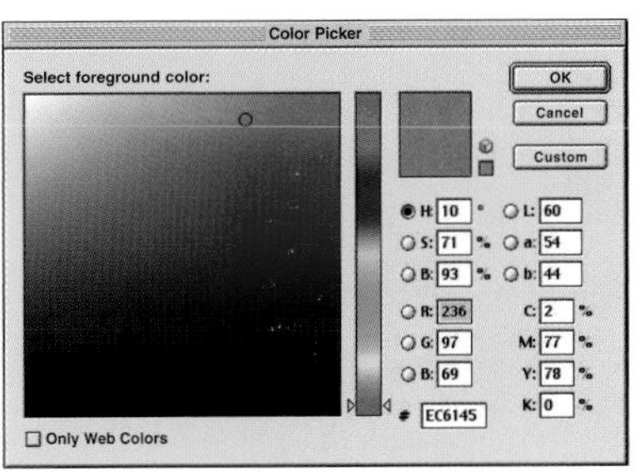

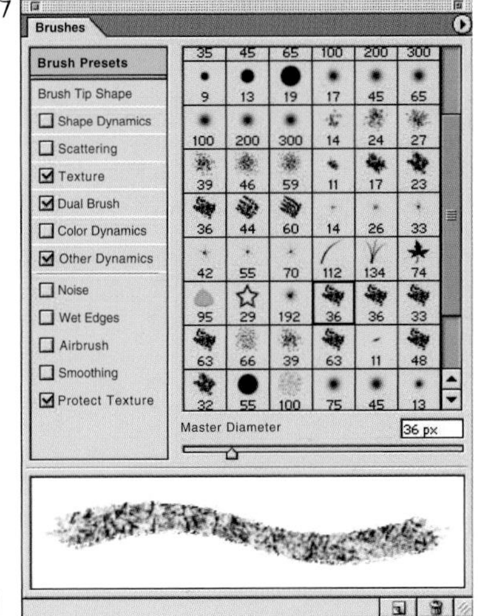

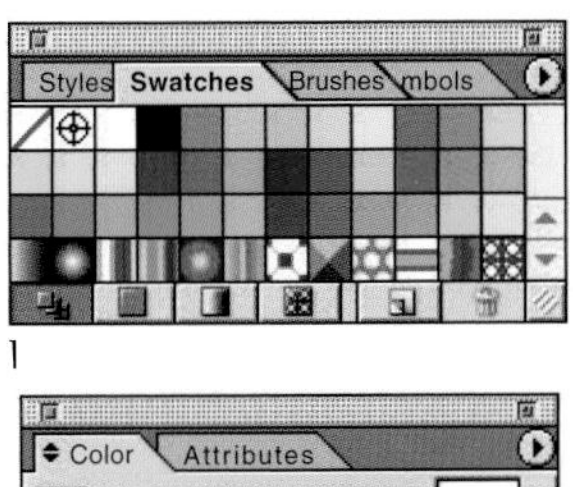

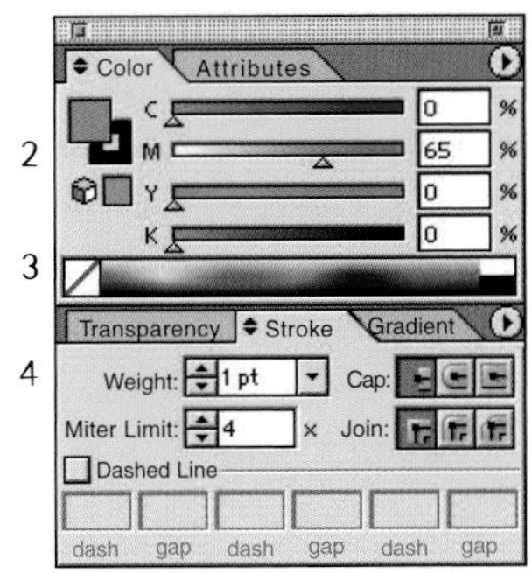

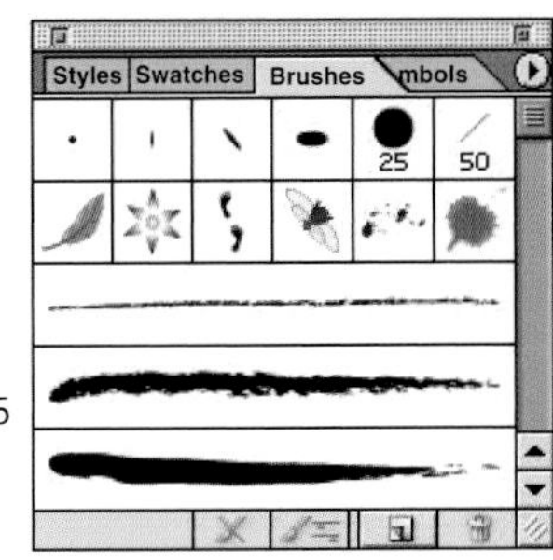

Illustrator

El programa *Illustrator* ofrece opciones de color para trabajos lineales y áreas sólidas. Los colores se pueden seleccionar de 3 maneras diferentes: tomándolos de la cuadrícula de color (1), deslizando las barras de los colores que los componen (2) o escogiendo de la paleta de colores disponibles (3). Hay opciones para especificar el grosor y el relleno de los trazos (4).

Y la opción de pinceles estándar o de pinceles personalizados también está disponible (5), así como el resto de opciones digitales como son la selección, el dibujo, la distorsión y el clonado (6).

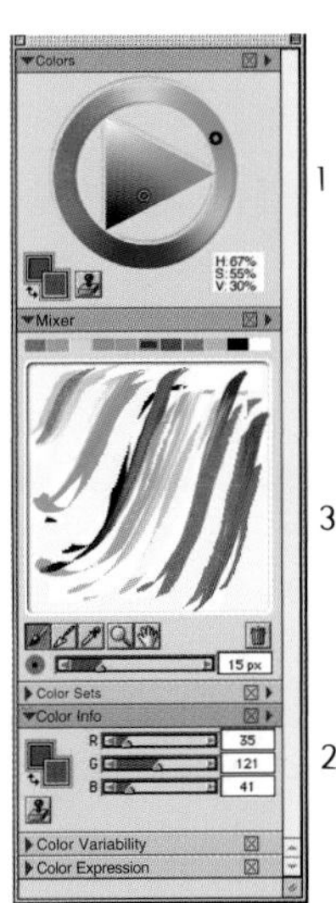

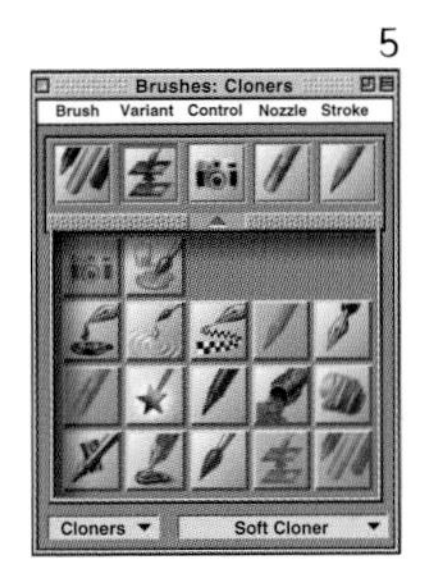

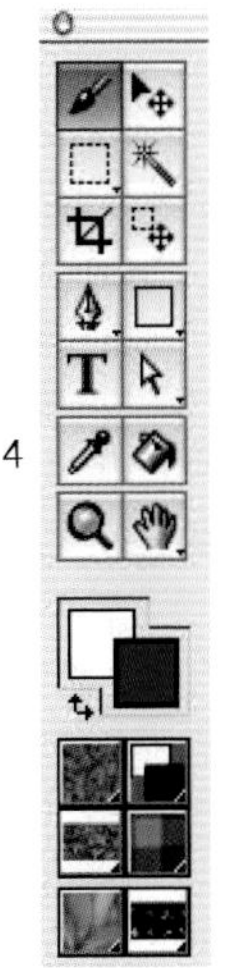

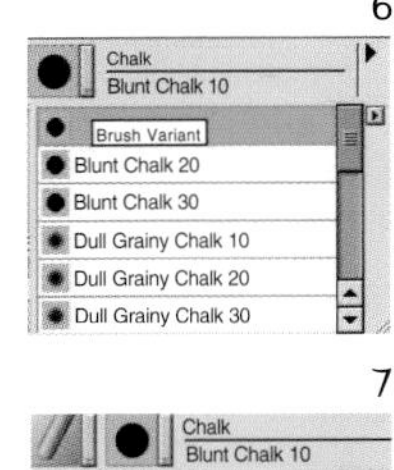

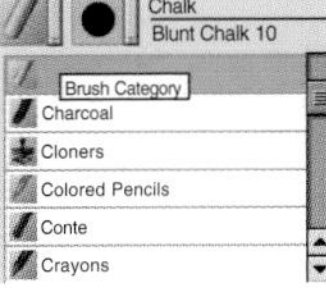

Paint

Las opciones de color en este programa son mucho más sofisticadas que las de *Illustrator* o *Photoshop*. El selector de colores (1) te permite escoger el tono en el triángulo central y controlar la tonalidad con el círculo de color que lo rodea. Otra manera de escoger el color es mediante las barras deslizantes (2) y ver el resultado en la ventana de muestra (3). Puedes igualar colores con el cuentagotas (4). Los menús desplegables (5, 6, 7) te permiten controlar la superficie, los utensilios de dibujo y el grado de agudeza o textura de los utensilios.

Mapa de bits e imágenes vectorizadas

Gran parte de las aplicaciones de *software* destinadas a la edición de imágenes y al dibujo funcionan con imágenes bmp, pero algunos programas (los llamados *Draw* en vez de *Paint*) también funcionan con gráficos vectorizados. De entre los programas que se basan en píxeles, el más extendido es *Adobe Photoshop*, pero *Corel Procreate Paint* ofrece una buena imitación de medios naturales como la acuarela o el pastel. Programas de vectores tales como *Adobe Illustrator* o *Macromedia Freehand* son excelentes para trabajar con colores planos y trazos precisos. *Corel Draw* ofrece herramientas para píxel y para vectores en un mismo paquete.

Mapa de bits o imagen rasterizada al 100% y al 400%

Imagen vectorizada al 100% y al 400%

Las imágenes vectorizadas están formadas por curvas, líneas y formas que se han definido mediante ecuaciones matemáticas. Esto significa que su resolución no se ve afectada, por lo que se pueden agrandar sin perder definición.

Esta silueta de dragón se ha creado con *Corel Draw*. Los cuadros pequeños son puntos fijos que se pueden mover y las líneas que hay entre ellos se pueden estirar para alterar las curvas. Estas opciones son perfectas para elaborar imágenes compuestas por líneas simples.

Si aumentas una fotografía escaneada o una parte de un dibujo hecho por computadora, verás que la imagen está compuesta por un mosaico de colores. Son los píxeles. Las imágenes compuestas por píxeles pueden crear variaciones muy sutiles de tonos. Sin embargo, como cada imagen contiene un número concreto de píxeles, su resolución se ve afectada al modificarlas: si se las aumenta demasiado pierden detalle y se ven borrosas (pixeladas). Para evitar este efecto tu trabajo debería ser de una resolución lo suficientemente alta para que se adecue al tamaño del trabajo una vez terminado. Trescientos ppp (puntos por pulgada) a imagen real suelen ser suficientes. En *Photoshop*, puedes fijar esta opción en "Imagen", "tamaño de la imagen", "tamaño del documento". Antes de ponerte a colorear, selecciona la anchura y la altura en la que quieres que se imprima tu trabajo final, después fija la resolución a 300 píxeles/pulgada.

Medios de dibujo y coloreado

Cualquier programa diseñado para dibujar y colorear vendrá con una serie de herramientas, desde plumas, lápices, pasteles y lápices policromos hasta varios tipos de pinceles. *Paint*, por ejemplo, incluye una amplia gama de pinceles y de herramientas de dibujo, lo que te permite trabajar prácticamente con cualquier medio que elijas. En *Photoshop*, las herramientas para colorear con aerógrafo producen diferentes efectos según la opacidad o la presión que escojas, además, puedes pulverizar un color sobre otro.

Cada programa es diferente, pero la mayoría tiene un muestrario de donde escoger los colores. La herramienta Cuentagotas te permite seleccionar un color concreto de tu dibujo para extenderlo al resto de la composición. Las opciones Sobreexponer y Subexponer de *Photoshop* te permiten aclarar u oscurecer zonas que hayas pintado anteriormente para crear sombras y efectos.

Cuando estés aprendiendo a utilizar un programa nuevo, dibuja garabatos para familiarizarte primero con las diferentes opciones y con los efectos que puedes conseguir. Probablemente, te resulte más fácil si empiezas dibujando un boceto en papel para después escanear la imagen y colorearla digitalmente.

Pinceles de *Paint*

El programa *Paint* trae muchos pinceles artísticos que imitan los trazos reales de pinceles y otros utensilios. En esta muestra se pueden ver diferentes trazos, entre los que se incluyen óleo, aerógrafo, acrílico, acuarela y carboncillo.

Pinceles de *Photoshop*

Cuando utilices la opción de pintar con pincel en *Photoshop*, verás que puedes escoger el tipo y el tamaño en la caja de herramientas de pinceles. Para llegar a esta opción, ve a Pinceles en Ventanas, en la barra de herramientas superior del programa. Las marcas en verde representan los diferentes tamaños de pincel. Las marcas en azul muestran un pincel de estilo pluma. Las marcas en rosa muestran los pinceles menos comunes que suelen dibujar con una forma ya predeterminada.

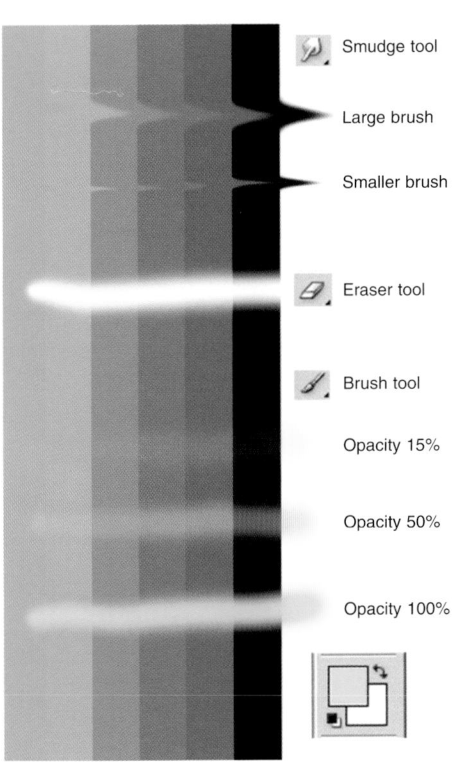

Pincel dedo

En *Photoshop* hay diversas maneras de colorear. En esta muestra se puede ver la herramienta Dedo, que sirve para unir o mover áreas coloreadas, la herramienta Borrador y la herramienta Pincel.
El pincel acepta modificaciones con respecto al tamaño y a la opacidad. Cuanto menos opaco sea, más difuso se verá el color que apliques.

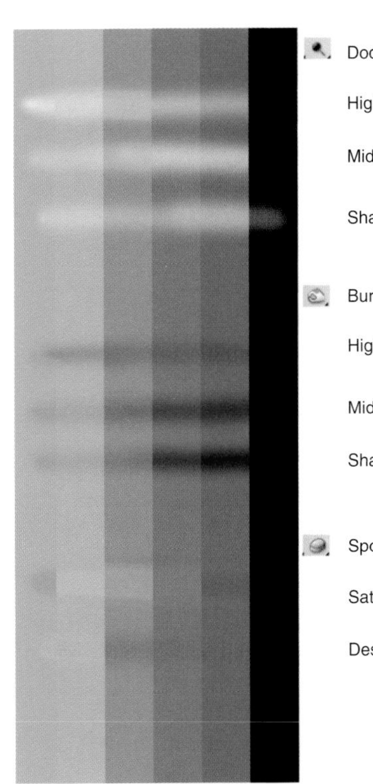

Sobreexponer y subexponer

Las herramientas Sobreexponer y Subexponer" son muy útiles a la hora de añadir brillos y sombras a partes ya coloreadas. Las opciones de ajuste de los brillos, medios tonos y sombras modifican los niveles que afectan a los tonos. La herramienta Esponja hará que aumente o disminuya la intensidad de un color ya existente.

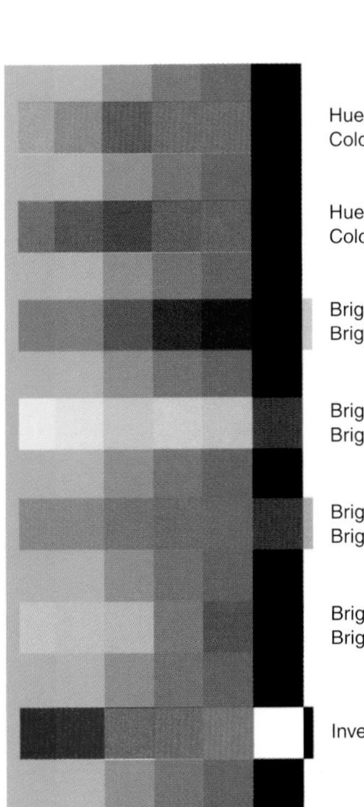

Brillo del tono

Al seleccionar un área concreta de color puedes alterar su sombra, brillo y saturación. Encontrarás estas funciones al hacer clic en Imagen, Ajustar, seguido de la opción que requiera tu dibujo.

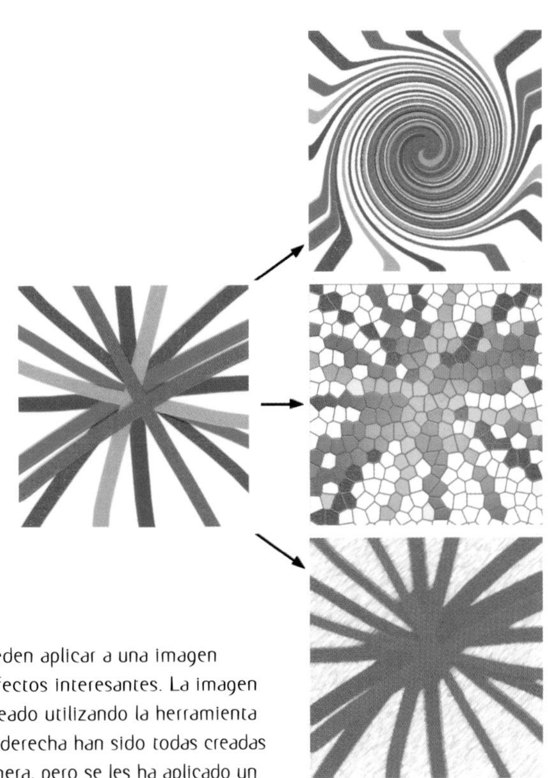

Filtros

Los filtros se pueden aplicar a una imagen para conseguir efectos interesantes. La imagen superior se ha creado utilizando la herramienta Pincel. Las de la derecha han sido todas creadas a partir de la primera, pero se les ha aplicado un filtro. Para conseguir el efecto de la primera imagen, dirígete a Filtro en la barra de herramientas superior de *Photoshop*, después ve a Distorsionar y a Molinete. En el cuadro que te aparecerá puedes seleccionar el nivel de distorsión que quieras. La imagen del centro de la derecha es el resultado de Filtro, Textura y Vidriera. La imagen inferior se ha creado utilizando Filtro, Bosquejar y tiza y carboncillo.

Cómo colorear en *Photoshop*

Esta bestia se ha dibujado sobre papel y después se ha escaneado en *Photoshop*. También puedes dibujar en la computadora, pero conseguir unas líneas naturales puede resultar difícil incluso utilizando una tableta gráfica, y muchos artistas que emplean el medio digital habitualmente prefieren realizar sus bocetos a mano. Se ha recortado el dragón del fondo blanco. El fondo se ha seleccionado con la herramienta Varita mágica. La imagen de la cabeza se ha colocado en otra capa (ver pág. 32) para que las siguientes acciones sólo afecten a esta zona, sin afectar al fondo.

Si alteras los niveles de la función Tono/Saturación, verás como toda la cabeza se oscurece en rosa oscuro.

Con la herramienta Subexponer extendemos las sombras a las áreas coloreadas que habían quedado planas.

Con la herramienta Sobreexponer añadimos contrastes. Después, pulimos los bordes con las herramientas de Borrado y Dedo.

Con la herramienta Pincel al 20% de opacidad añadimos más colores a la imagen para darle mayor variedad cromática. Hemos seleccionado la cabeza para no modificar el resto de la imagen.
Para los detalles utiliza las herramientas de Dedo, Sobreexponer y Subexponer, con un pincel pequeño.

Para completar el dibujo hemos añadido un fondo. La capa blanca que compone el fondo está detrás de la cabeza, por lo que puede modificarse sin que esto afecte a la figura del dragón (véase pág. 32). Se han pulverizado diferentes tonalidades de naranja con un pincel amplio para lograr este efecto de nube volcánica. Los colores de la caja Muestras se han escogido yendo a Ventana y seleccionando la opción Muestras. Sea el color Muestra que sea, éste quedará seleccionado con el pincel.

COLOREADO A CAPAS

La mayoría de los programas de dibujo, coloreado y edición de fotografías te permiten experimentar con diferentes efectos y composiciones gracias a las capas. Éstas pueden visualizarse como películas de plástico transparente apiladas una sobre la otra. Cuando realizas un dibujo o escaneas una imagen, aparecerá como una capa de fondo llamada Lienzo. Si creas otra capa encima, puedes trabajar sobre ella sin modificar la anterior porque cada capa es totalmente independiente. De manera similar, puedes trabajar sobre el lienzo sin modificar las imágenes que puedas tener en otras capas.

Las capas son especialmente útiles para composiciones de tipo *collage*, en las que las imágenes, figuras y texturas se solapan. Este tipo de trabajo implica tener que seleccionar imágenes o formas, el equivalente digital a recortar figuras con unas tijeras. Imagina que quieres pegar el dibujo de una bestia sobre un fondo dibujado a mano, con texturas o fotografiado. Empezarías por el fondo en la capa del Lienzo, después dibujarías alrededor de la imagen y lo seleccionarías con el Lazo para ponerlo en una nueva capa (normalmente esta opción se encuentra bajo los comandos del menú en Selección de capas).

La selección es uno de los elementos básicos del trabajo digital. Con ella aíslas el área sobre la que quieres trabajar. Puedes combinar todas las selecciones que quieras sobre una misma imagen y, además, no tienen por qué ser un dibujo o una fotografía (podrías hacer un *collage* con trozos de papel a los que se les ha aplicado colores o texturas digitalmente, o con objetos como hojas de árbol escaneadas). Para probar diferentes superposiciones puedes cambiar el orden de las capas en cualquier momento. También puedes aplicar varios efectos a determinadas capas, así como alterar los colores y la opacidad.

Paint

La Paleta de capas te ayudará a organizar tu trabajo, y si te equivocas en algo también te facilita la corrección, ya que trabajas en cada capa por separado. Si trabajas con muchas capas, no te olvides de darles un nombre. Como herramientas de selección encontrarás las normales Marco (1), tanto rectangular como circular, el "lazo" (2), la Varita mágica (3), la Cuentagotas (4) para seleccionar objetos del mismo color, y una herramienta para modificar el tamaño de la selección (5).

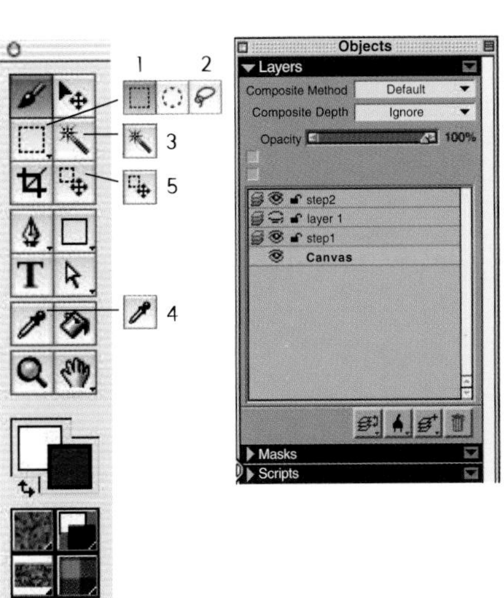

Photoshop

Una de las opciones más útiles de este programa es que te permite colocar diferentes elementos en distintas capas. La ventana de capas (ver más abajo) te permite tener activa o inactiva la visibilidad de una con lo que se puede ajustar la transparencia, deslizando la barra que controla el porcentaje de opacidad. En la barra de opciones (1) encontramos toda una serie de herramientas que sirven para seleccionar varias partes de la imagen. El Marco (2) es útil para formas geométricas simples, el Lazo, (3) para dibujar alrededor de una área seleccionada, la Varita mágica (4) para seleccionar áreas en las que el color o el tono es distinto, el Cuentagotas (5) para ver una muestra de color ligada a un cuadro de diálogo seleccionado, mediante el cual se ajusta el grado de selección a través de la barra de tolerancia y, por último, la Máscara rápida, (6) que te permite colorear un área seleccionada.

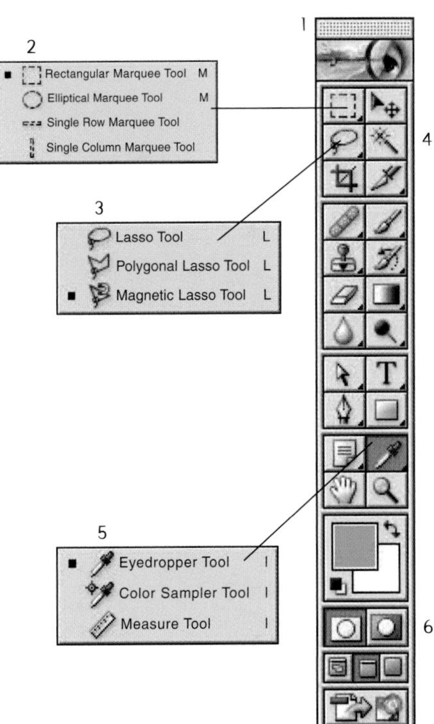

CÓMO UTILIZAR LAS CAPAS EN *PHOTOSHOP*

Este dragón se ha creado en 4 capas diferentes: el dragón, el huevo, el desierto de arena y el fondo.

Para esconder una de las capas haz click sobre el símbolo del ojo que aparece a la izquierda de la ventana. Aquí puedes ver cómo el ojo de la capa del huevo no está. Para que la capa vuelva a ser visible vuelve a hacer click sobre el cuadro del ojo y volverá a estar ahí.

Al cuadro de Capas se accede activando la opción Capas en el menú Ventana de la barra de herramientas superior. Aparecerá una vista en miniatura del objeto en cada barra destinada a una capa. Aquella sobre la que estés trabajando aparecerá resaltada en azul. Para pasar de una capa a otra sólo tienes que hacer click sobre ella. Puedes modificar el orden de las capas arrastrándolas hacia la posición que quieres que ocupen en la lista. Cuando una capa superior te impide ver capas inferiores tendrás que modificar el orden en el que están para que ninguna quede oculta. Por ejemplo, aquí el cielo está detrás (al final de la lista), la arena está después, seguida del huevo y del dragón.

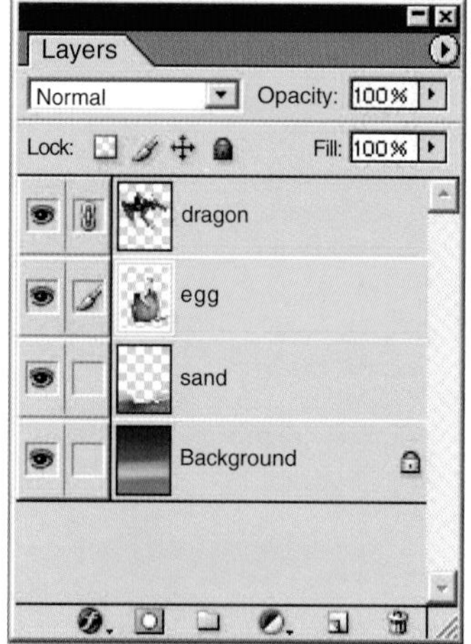

Aquí hemos enlazado dos capas. Se ve el símbolo de la cadena en la capa del dragón, que a partir de ahora estará unida a la del huevo. Si se mueve el huevo, el dragón se moverá con él. Para añadir o quitar un vínculo, haz click en el cuadro de la cadena.

Ahora puedes ver la nueva capa combinada (imagen derecha).

Aquí hemos escondido el huevo dejando ver el fondo que antes estaba escondido.

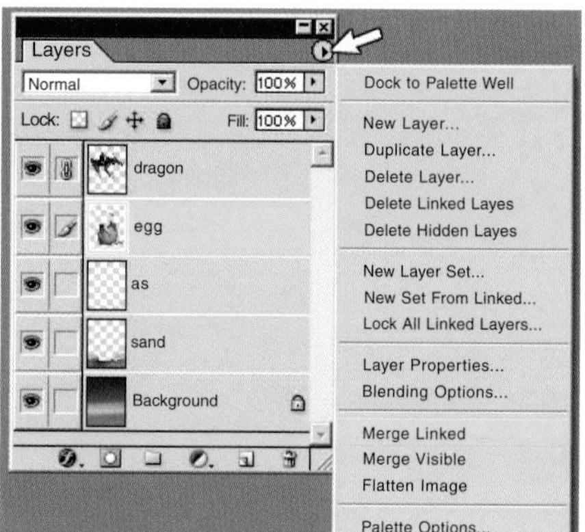

Las capas enlazadas pueden combinarse en una sola capa. Para ello asegúrate primero de que las dos capas están enlazadas. Después, haz click en la flecha que hay dentro de un círculo en la esquina derecha de la ventana de las capas y selecciona Combinar enlazadas.

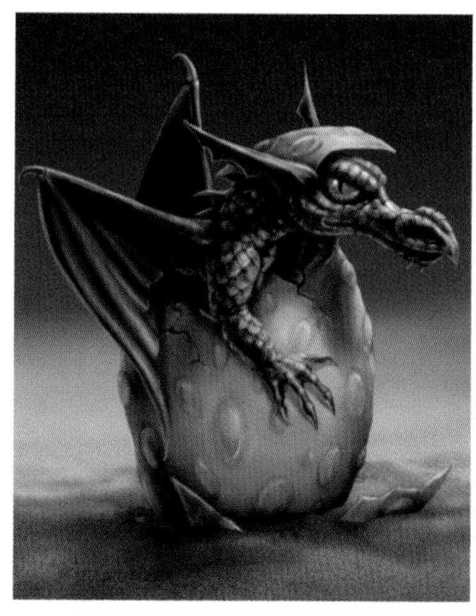

Cómo seleccionar áreas de color

Puedes seleccionar zonas concretas de color con la herramienta Varita mágica. Para que esta herramienta detecte una gama de color más o menos amplia puedes modificar su tolerancia. En la imagen de la derecha se ha pulsado la Varita en la parte azul del ojo, seleccionando todas las sombras azules de esta zona, a una tolerancia de 80. Después, se ha aplicado un efecto a esta selección. Como se puede observar en la imagen inferior a ésta, la opción Tono/Saturación se ha seleccionado en verde.

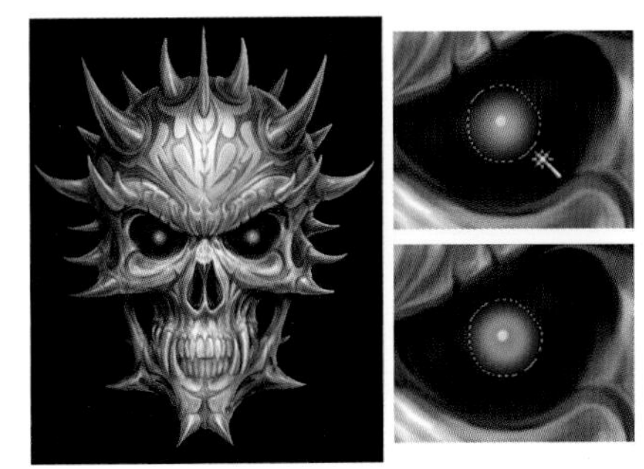

También puedes seleccionar áreas con el Lazo, dibujando alrededor de una zona con él. Para hacerlo en áreas con más precisión, te vendrá bien aumentar esa parte de la imagen antes. Puedes seleccionar y colocar varias partes de una imagen en capas diferentes, tal como te mostramos en la página 32. De esta manera puedes aplicar distintas funciones y efectos en cada capa, sin alterar el resto de la imagen.

Creación de imágenes simétricas

El programa *Photoshop* te permite duplicar y voltear imágenes, opciones perfectas para la creación de imágenes simétricas. Puedes utilizar esta técnica para crear una bestia que tenga una cabeza simétrica o para producir imágenes tales como un escudo de armas.

La manera más fácil de asegurarse de que una imagen es simétrica es crear sólo una mitad y después duplicarla y voltearla. Aquí, se ha dibujado primero medio escudo en una capa aparte de la del fondo. Antes de copiar la otra mitad del escudo, asegúrate de que estás sobre la capa correcta (la capa seleccionada aparecerá en azul oscuro en el cuadro de Capas), después ve a Capas, Duplicar capas. El cuadro que acabas de crear mostrará las capas que has creado.

Para crear el lado derecho, selecciona la capa que has copiado y ve a Editar, Transformar y, por último a Voltear horizontal. Mueve la capa volteada hasta alinearla con la primera mitad para crear el escudo completo. Mantener presionada la tecla "shift" cuando muevas la capa te ayudará a que quede en el mismo plano horizontal. Aumenta el escudo para asegurarte de que las dos mitades han quedado bien alineadas, después vincula estas dos capas.

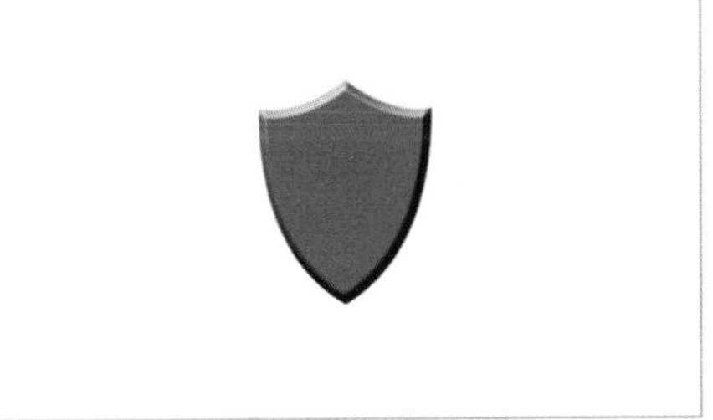

Para que el escudo parezca más tridimensional, se le ha añadido un efecto. Ve a Capas, Estilo de capas, y Bisel y relieve. Se abrirá una ventana en la que puedes ajustar el tamaño y la profundidad del bisel. El cuadro de capas te mostrará la capa con la función de Bisel y relieve añadida. Para cualquier modificación sólo tienes que hacer clic en la barra blanca de Efectos de debajo de la capa.

El dragón estilizado formará parte del escudo de armas. Se ha añadido en una capa aparte.

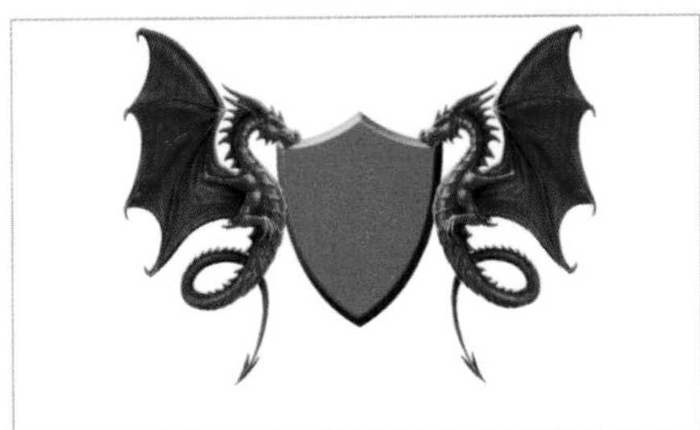

Después duplicamos el dragón, lo volteamos y lo colocamos al lado derecho del escudo.

Hemos añadido algunos elementos más al diseño original para completar la heráldica. Cada uno está en una capa diferente para que puedas moverlos hasta encontrar el punto justo en el que el balance del diseño te deje satisfecho.

El Bestiario

Aquí puedes ver, de un solo golpe, 30 criaturas de otros mundos para que las copies o las uses como inspiración. Cada entrada te proporciona las instrucciones para crearlas y algunos consejos sobre otras características importantes: cómo se mueven, su escala o su fisiología. Escoge la que más te guste y manos a la obra.

Hombre lobo.
Página 48

Demonio.
Página 52

Esfinge.
Página 76

Gato salvaje con colmillos de sable.
Página 112

Pez víbora gigante.
Página 68

Caminante de las dunas.
Página 80

Espíritu del bosque.
Página 114

Espíritu de la noche.
Página 46

Espíritu del hielo.
Página 118

Dragón del desierto.
Página 78

Elefante africano.

Dragón de la noche. Página 40

Dragón del pantano. Página 94

Kraken. Página 64

Dragón del bosque.
Página 108

Espíritu del desierto.
Página 82

Dragón marino.
Página 62

Leviatán.
Página 56

Bestias nocturnas

Inspírate

Muchas bestias conocidas o desconocidas se refugian en la oscuridad para ocultar sus actividades. Las criaturas nocturnas pueden ser tranquilas y mansas o depredadoras y peligrosas. Los documentales sobre naturaleza pueden darte ideas.

1 Un clima tempestuoso puede inspirarte igual de bien que la oscuridad. Los dos juntos representan las fuerzas oscuras y poderosas trabajando al unísono.

2 Algunas criaturas, aunque no sean dañinas en el mundo real, pueden parecerlo en la penumbra de la noche. La mayoría de los murciélagos son criaturas tranquilas y pasivas, pero su reputación dice justo lo contrario.

3 Realiza bocetos de esqueletos para mejorar tus habilidades en el dibujo de elementos físicos. En el museo de tu ciudad encontrarás buenos ejemplos para empezar.

4 Las criaturas que pasan por un proceso de completa metamorfosis, como esta polilla, estimularán tu imaginación al brindarte la posibilidad de crear dos bestias fantásticas en una.

4
3

BOCETOS DE PERSONAJES: DRAGÓN NOCTURNO

El dragón es una de las criaturas mitológicas más antiguas que existen. Tiene una larga historia, ya que aparece en las leyendas de prácticamente todos los países y continentes desde el inicio de los tiempos.

Un dragón puede ser pasivo o agresivo, por lo que su postura es extremadamente importante. La forma de esta criatura viene definida por sus extremidades, que sugerirán el medio en el que vive (un dragón acuático no necesitaría extremidades, por ejemplo). Otros atributos, como la longitud del cuello, si tiene alas o si es capaz de echar fuego por la boca, dependerán de la elección personal del artista.

Este dragón es totalmente nocturno y se alimenta de criaturas mucho más pequeñas de lo que su tamaño nos podría dar a entender. De pie alcanza la estatura de una jirafa y anida en cráteres volcánicos. Se le conoce como "fumador" ya que no llega a echar fuego por la boca. Su glándula pirogástrica se encuentra demasiado lejos de la boca como para que su aliento arda. Algunos sugieren que la pérdida de esta capacidad es producto de la evolución por servirse del sigilo y de los humos nocivos para incapacitar a sus presas.

ARCHIVO DE DATOS FISIOLÓGICOS	
Tamaño:	Hasta los 21 m de largo.
Peso:	2,5 toneladas.
Piel:	Azul-negro oscuro.
Ojos:	Violetas (se iluminan solos).
Señales:	Envenenamiento en masa por gas, lluvia ácida en las proximidades.

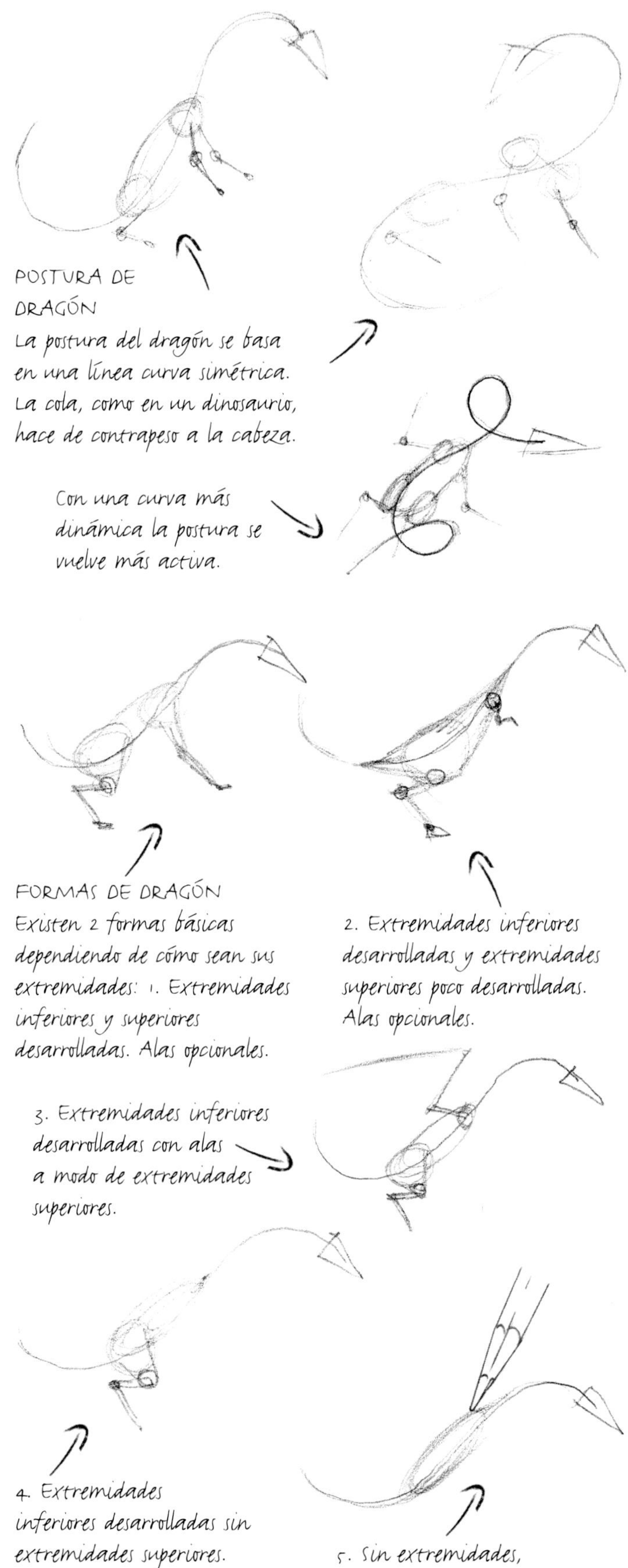

POSTURA DE DRAGÓN
La postura del dragón se basa en una línea curva simétrica. La cola, como en un dinosaurio, hace de contrapeso a la cabeza.

Con una curva más dinámica la postura se vuelve más activa.

FORMAS DE DRAGÓN
Existen 2 formas básicas dependiendo de cómo sean sus extremidades: 1. Extremidades inferiores y superiores desarrolladas. Alas opcionales.

2. Extremidades inferiores desarrolladas y extremidades superiores poco desarrolladas. Alas opcionales.

3. Extremidades inferiores desarrolladas con alas a modo de extremidades superiores.

4. Extremidades inferiores desarrolladas sin extremidades superiores. Alas opcionales.

5. Sin extremidades, alas opcionales.

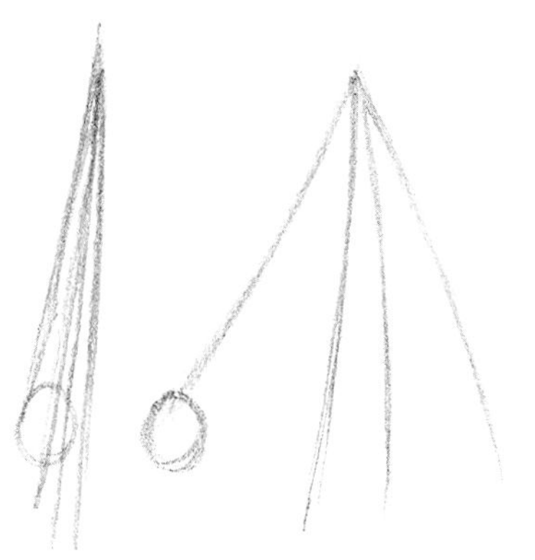

ALAS

Las alas de un dragón, las de un pájaro o las de un murciélago, hay que representarlas como si fueran un brazo que ha evolucionado hasta convertirse en ala: tiene que tener las mismas articulaciones que un brazo. Piensa en el ala de un dragón como si se tratara de un ala delta acoplada.

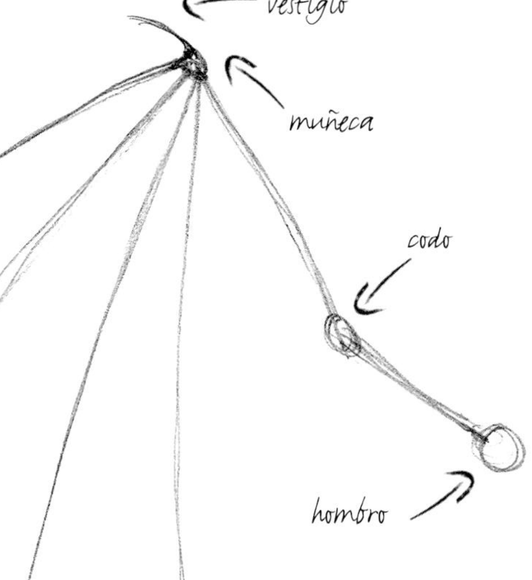

dedos

EL ESCORZO

Cuando aplicas la técnica del escorzo a un objeto plano, como es en este caso un ala, dará la impresión de que el objeto está colocado en un ángulo oblicuo.

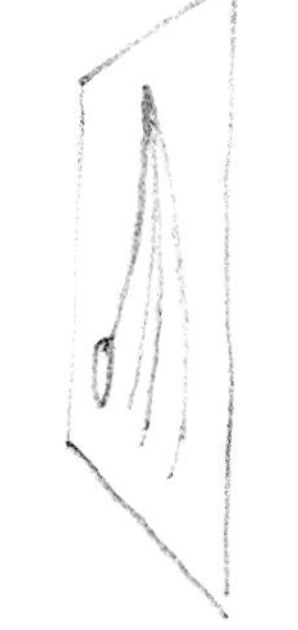

Para saber cómo se ve una figura desde ese ángulo dibuja primero la figura en un trozo de papel, después gírala hasta colocarla en el ángulo correcto y copia lo que ves. Cuando vayas a completar la figura, recuerda que las líneas y las formas se verán más juntas en la parte trasera, así que empieza por la parte que te queda más cerca y después dibuja el resto de líneas por detrás de las primeras.

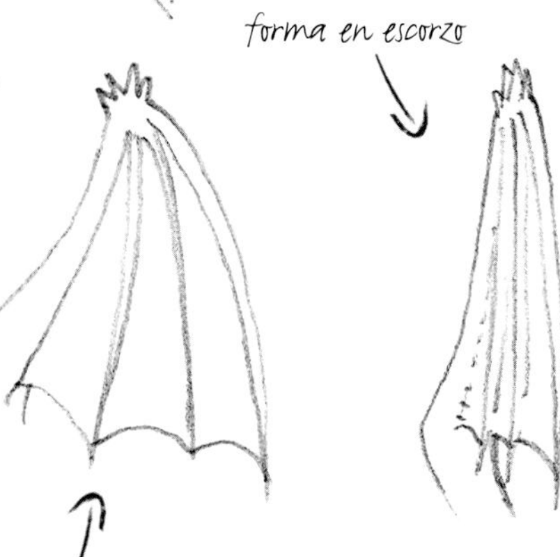

forma plana

EVOLUCIÓN

Los dedos no tienen articulaciones, que son las que permiten que la membrana que hay entre los dedos se pueda estirar. Pero en este caso no tienen necesidad de articularse, por lo que las articulaciones han acabado desapareciendo. El pulgar se ha convertido en un vestigio (una especie de cuerno primario rodeado de pequeñas protuberancias). Los dedos serían muy ligeros y probablemente formados por cartílagos para que sean flexibles. Unos huesos articulados serían más pesados y necesitarían músculos y tendones para funcionar, con lo que tendríamos un ala pesada e inútil.

EL DIBUJO DEL PROFESIONAL ▶

COMPARACIÓN DE BOCETOS

AGRESIVO

Tiene la boca abierta, bramando, el cuello arqueado y todas sus extremidades preparadas para atacar en cualquier momento.

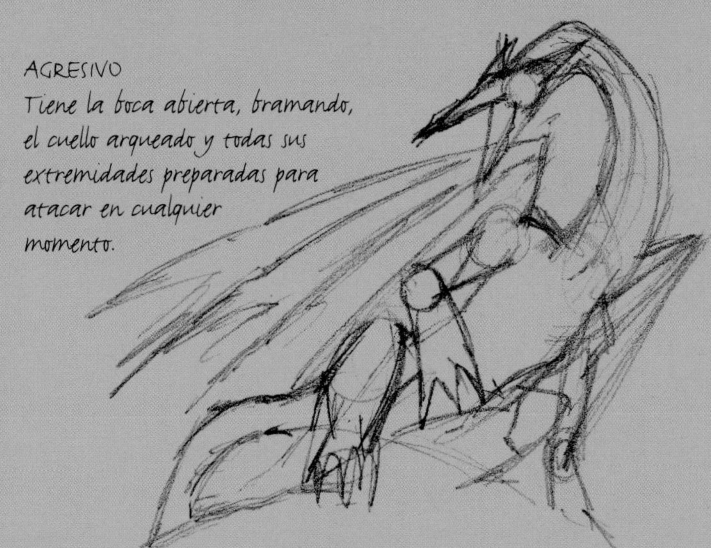

PASIVO

Con la boca cerrada y el cuello relajado, sus extremidades están firmes sobre el suelo.

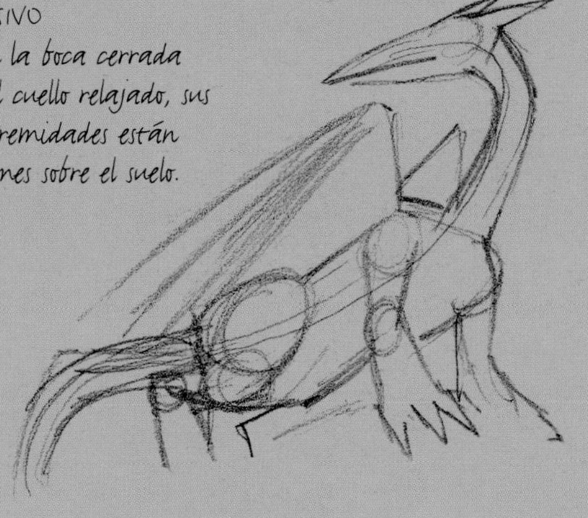

EL DIBUJO DEL PROFESIONAL

El artista ha fotocopiado el boceto preliminar hasta conseguir el tamaño final del dibujo. Después, ha borrado los trazos innecesarios con un bolígrafo corrector blanco y ha añadido profundidad a las zonas más oscuras con un lápiz policromo negro. Con un rotulador punta fina negro ha dibujado los detalles más pequeños de la cabeza y las garras. Lo ha coloreado con baños de pintura acrílica aplicando un color opaco como última capa, especialmente en las zonas destacadas.

COLORES UTILIZADOS
ACRÍLICOS
AZUL ULTRAMAR
SOMBRA TOSTADA
AZUL
MORADO
BLANCO
MAGENTA
ACUARELAS
MORADO
LÁPICES POLICROMOS
NEGRO
AZUL
ROTULADOR DE PUNTA DE FIBRA
NEGRO

PREPARACIÓN Y FONDO

Después de pulir la imagen a lápiz en el ordenador, fotocópiala sobre un papel para acuarela en blanco y negro. Estira el papel y espera a que se seque. Ahora aplica baños claros de pintura acrílica azul ultramar sobre el papel mojado. Espera a que se seque y vuelve a humedecer el papel para aplicar más baños de esta pintura hasta lograr unas formas nebulosas. Repite el proceso con baños de sombra tostada para rebajar el vigor del azul.

DEFINICIÓN DE LA FORMA

Añade un baño uniforme de azul acrílico a toda la figura del dragón cubriendo las partes negras y las sombradas por igual. El negro resaltará un poco ya que el azul ultramar es semiopaco y las zonas sin colorear permanecerán prácticamente invisibles cuando la pintura se seque.

LOS COLORES CÁLIDOS ACERCAN

Aplica un baño fino de acuarela morada a la cabeza y a las garras delanteras del dragón, diluye el color en las partes que estén más alejadas del espectador.

OCULTA LOS ERRORES

Utiliza un lápiz azul para eliminar zonas en las que haya detalles que estén en las sombras. Los trazos a lápiz sobre una fotocopia a veces destacan demasiado, pero si utilizas un lápiz policromo sobre un baño acrílico los trazos quedarán atenuados.

DALE MÁS FUERZA A LA FORMA

Consigue un semitono del color del cuerpo para la piel del dragón utilizando color blanco (para que se vea opaco), azul ultramar, sombra tostada y un toque de morado. La mezcla tiene que quedar un poco más clara que las capas de color traslúcido con las que has creado el fondo. Trabaja sobre los trazos o elimina los detalles que se vean borrosos.

CONSTRUYE LA ESTRUCTURA

Empieza a aclarar las sombras utilizando blanco y azul ultramar, con cada capa reduce poco a poco el morado y la sombra tostada que aplicaste al principio. El tono más pálido en la figura tiene que verse sólo un poco más claro que el tono más pálido del fondo.

AÑADE LOS BRILLOS

Finalmente, añade la boca, el humo y los ojos con unos tonos morados. Aplica un poco de magenta para los puntos más cálidos en el centro de los ojos y en la boca, así se dará la ilusión de que hay una especie de fuente de luz dentro del dragón.

BOCETOS DE PERSONAJES: VAMPIRO

Los relatos sobre vampiros se remontan a miles de años atrás y existen en la mayoría de las culturas de todo el mundo. Los mitos sobre los vampiros llegaron a Occidente a través de Europa del Este, con los mercaderes que viajaban por todo el continente vendiendo sus mercancías y narrando historias de tierras lejanas. En la actualidad, los relatos sobre vampiros aún son fieles a aquellas historias de la vieja Europa del Este en las que los vampiros eran unas criaturas nocturnas que bebían sangre y resucitaban de entre los muertos. Sin embargo, gran parte de lo que creemos saber sobre su comportamiento, que vestían capas, que no se reflejaban en espejos y se transformaban en murciélagos, son en realidad invenciones posteriores.

Esta criatura es completamente nocturna y es muy sensible a la luz. Se alimenta, principalmente, de la sangre caliente de otros mamíferos para aliviar la anemia natural que padece. Esta dieta hace que los vampiros sean muy delgados. La condición de vampiro puede ser transmitida a un humano por medio de una mordida, esto hará que adopte los mismos hábitos alimenticios. El ajo contiene una enzima que provoca una reacción extrema, tanto en los vampiros de pura raza como en los humanos contaminados, similar a la que provoca una hiedra venenosa o una ortiga.

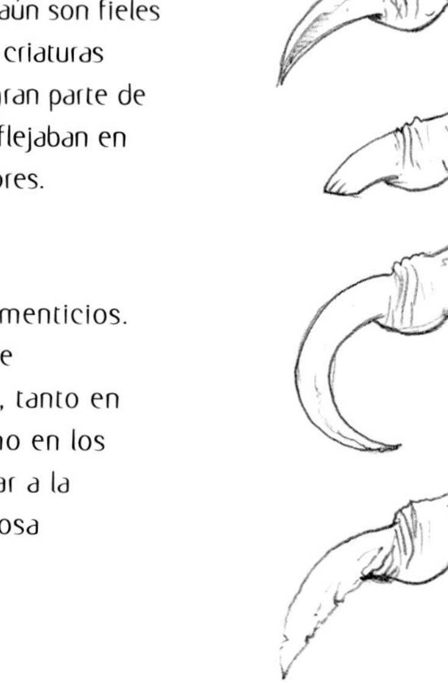

CÓMO DIBUJAR GARRAS
Existen unas reglas simples a la hora de dibujar garras. Primero, no olvides que no son más que uñas largas y afiladas, por lo tanto tienen la misma estructura fisiológica. Segundo, piensa en lo que quieres que las garras digan de tu personaje. Estos ejemplos son básicamente iguales, pero unas diferencias sutiles pueden marcar grandes cambios en el resultado final.

CÓMO DIBUJAR UN CRÁNEO
La forma básica de un cráneo humano es circular, con la mandíbula inferior abierta hacia abajo.

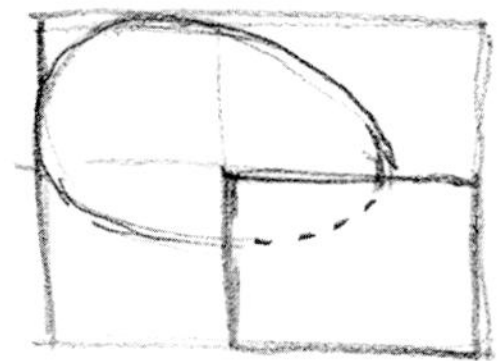

Tomando como base la forma circular puedes deformarla y crear cráneos de criaturas en cualquier dirección.

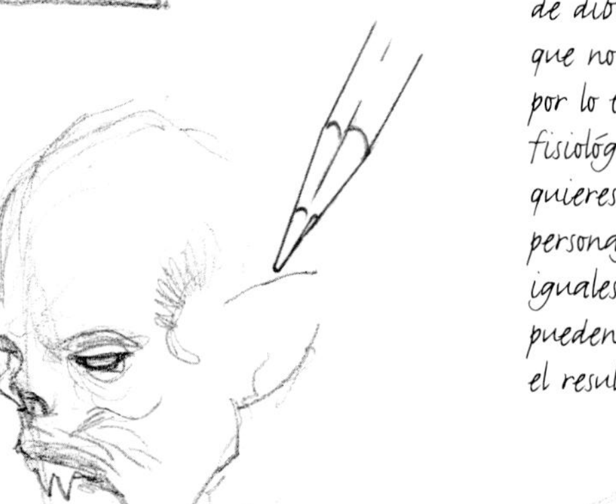

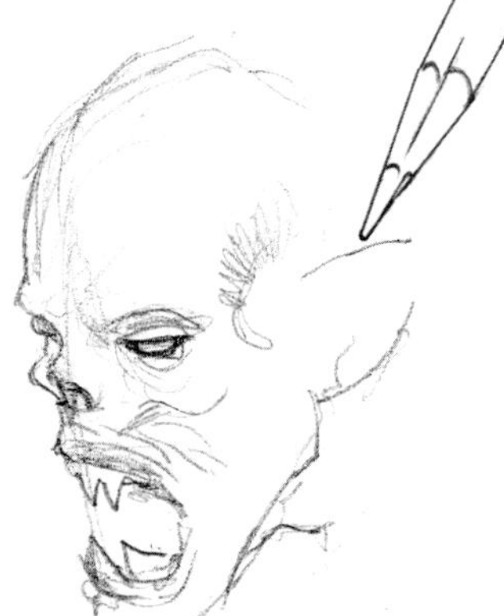

CON INFLUENCIA HUMANA
Si dibujas una criatura tomando como base un cráneo humano, la bestia resulta mucho más humana.

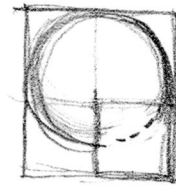

DEMASIADO MURCIÉLAGO
Esta cabeza a lo murciélago resulta cómica (probablemente también chilla).

UNA CABEZA PARTICULAR
Después de varios bocetos, la cabeza empieza a tomar una forma única y particular.

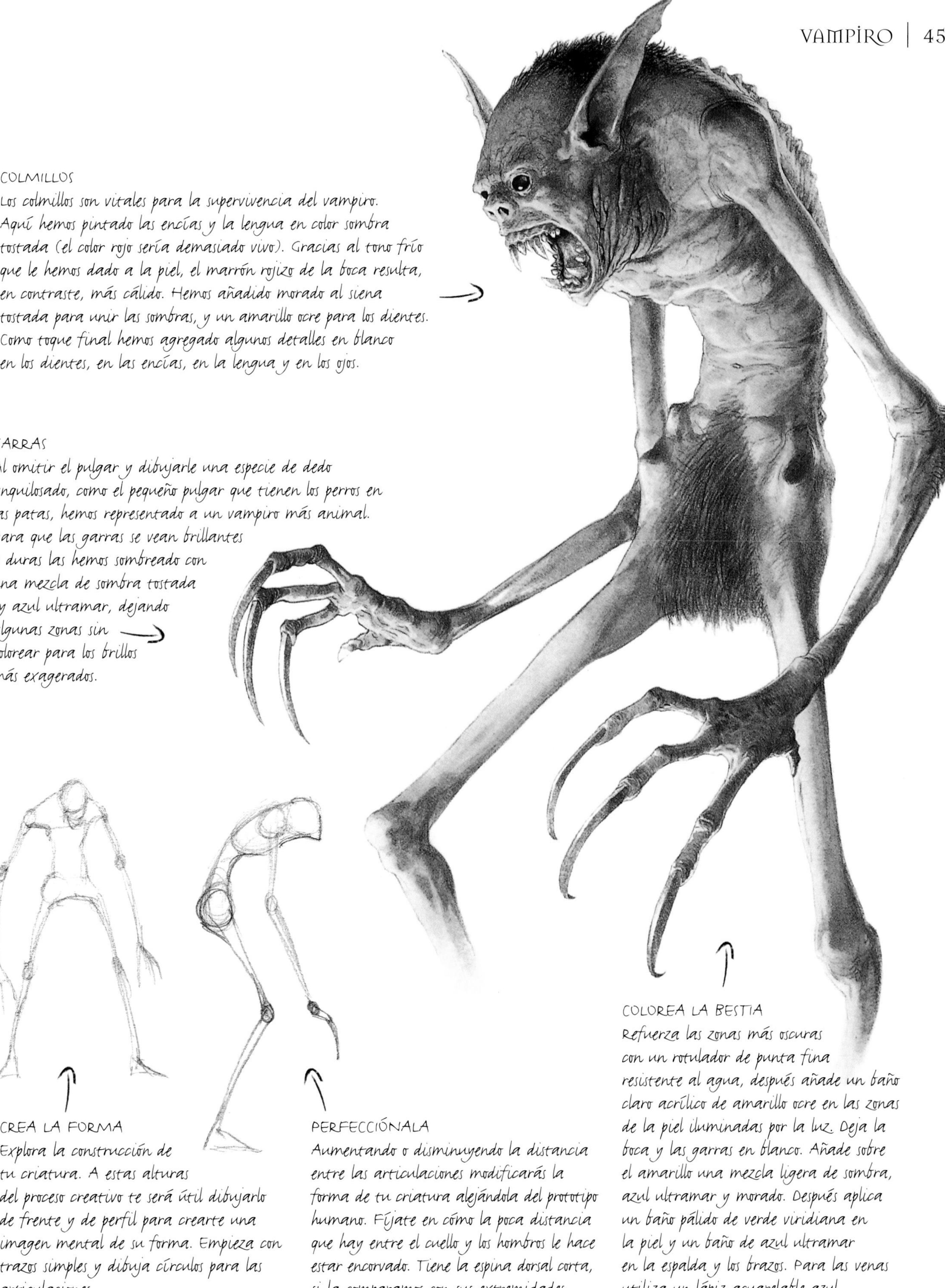

COLMILLOS

Los colmillos son vitales para la supervivencia del vampiro. Aquí hemos pintado las encías y la lengua en color sombra tostada (el color rojo sería demasiado vivo). Gracias al tono frío que le hemos dado a la piel, el marrón rojizo de la boca resulta, en contraste, más cálido. Hemos añadido morado al siena tostada para unir las sombras, y un amarillo ocre para los dientes. Como toque final hemos agregado algunos detalles en blanco en los dientes, en las encías, en la lengua y en los ojos.

GARRAS

Al omitir el pulgar y dibujarle una especie de dedo anquilosado, como el pequeño pulgar que tienen los perros en las patas, hemos representado a un vampiro más animal. Para que las garras se vean brillantes y duras las hemos sombreado con una mezcla de sombra tostada y azul ultramar, dejando algunas zonas sin colorear para los brillos más exagerados.

CREA LA FORMA

Explora la construcción de tu criatura. A estas alturas del proceso creativo te será útil dibujarlo de frente y de perfil para crearte una imagen mental de su forma. Empieza con trazos simples y dibuja círculos para las articulaciones.

PERFECCIÓNALA

Aumentando o disminuyendo la distancia entre las articulaciones modificarás la forma de tu criatura alejándola del prototipo humano. Fíjate en cómo la poca distancia que hay entre el cuello y los hombros le hace estar encorvado. Tiene la espina dorsal corta, si la comparamos con sus extremidades inferiores. Sus brazos también son largos.

COLOREA LA BESTIA

Refuerza las zonas más oscuras con un rotulador de punta fina resistente al agua, después añade un baño claro acrílico de amarillo ocre en las zonas de la piel iluminadas por la luz. Deja la boca y las garras en blanco. Añade sobre el amarillo una mezcla ligera de sombra, azul ultramar y morado. Después aplica un baño pálido de verde viridiana en la piel y un baño de azul ultramar en la espalda y los brazos. Para las venas utiliza un lápiz acuarelable azul.

Bocetos de personajes: Espíritu de la noche

El Espíritu de la noche es una criatura mágica extraída de la materia más oscura de la noche. Puede manifestarse con diversas formas , pero prefiere que sus características se inspiren de criaturas también asociadas a la noche. Estas encarnaciones muestran elementos de gatos, murciélagos y búhos.

El Espíritu de la noche puede llegar a medir hasta 4 metros y medio de longitud. Su apariencia variará, dependiendo del animal del que adopte las características, aunque siempre podrás reconocerlo por su brillante luz interior. Se encuentra en lo más profundo de las sombras nocturnas y su aparición suele coincidir con el paso de la luna de su fase menguante a creciente.

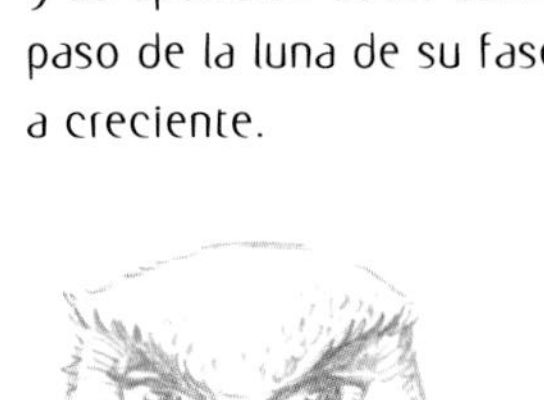

ALAS DE MURCIÉLAGO
Cuando vayas a dibujar unas alas de murciélago no te olvides de cuánto se parecen, en lo que a huesos se refiere, a las manos humanas.

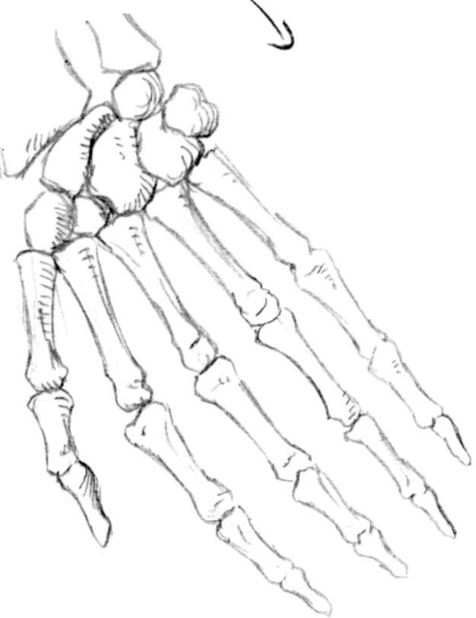

EXAGERACIÓN DE LA REALIDAD
En estas cabezas de búho se puede apreciar el contraste entre una representación realista y otra en la que el artista ha aprovechado los rasgos básicos de la criatura y los ha exagerando para dotarla de un carácter mucho más diabólico y malvado.

SALIENDO DE ENTRE LAS NUBES
Este Espíritu de la noche se ha formado por las sombras oscuras de una nube bajo la luz de la luna. Empieza a mostrar la forma de una criatura nocturna de la que ha adquirido sus cualidades.

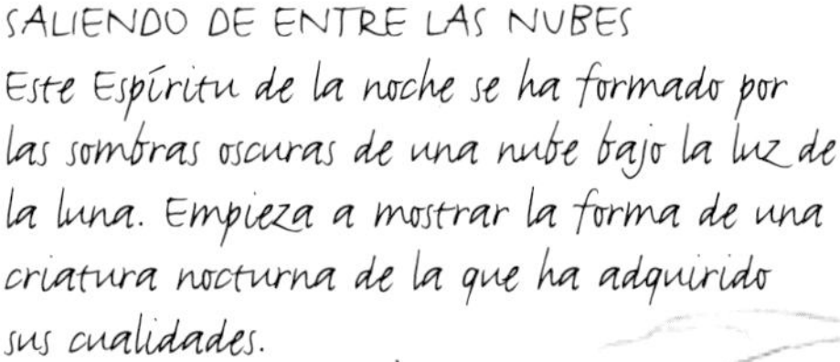

DETALLE DE LA GARRA Y EL ALA
Para crear un efecto aún más amenazante exagera las garras, el pelaje y añade un efecto de tela rasgada a las alas de murciélago.

AÑADE DESTELLOS
Primero, colorea las zonas más oscuras y los contornos con pinturas acrílicas. Después aplica un baño de acrílico diluido por todo el dibujo antes de repasar los detalles y prepara las zonas donde irán los brillos. La pintura acrílica, al ser opaca, puede aplicarse de más oscura a más clara, así podrás añadir brillos pequeños con un pincel fino. Para conseguir un brillo todavía más intenso utiliza una tinta acrílica irisada.

PLUMAS DE FANTASÍA
El contraste entre estos dos bocetos de plumas demuestra la gran diferencia que puede haber entre un enfoque realista y uno más imaginativo. La exageración de la segunda pluma hace que el segundo dibujo sea más intrigante y espectacular.

CONSTRUCCIÓN DE LA FIGURA Y COLOREADO
El dibujo a lápiz muestra cómo los elementos de las criaturas que lo componen están en consonancia. Primero se han coloreado las sombras más oscuras para reforzar la forma sin perder los detalles del trazado original.

BOCETOS DE PERSONAJES: HOMBRE LOBO

El hombre lobo ha sido un símbolo durante siglos de la lucha interna del hombre por controlar sus tendencias más animales. Se trata de representar esta dualidad: humano y bestia en una misma forma.

Tiene que poder ponerse de pie y disponer pulgares móviles; si no fuera así sería demasiado animal y muy poco monstruo. A pesar de ello, sabe que si camina a cuatro patas corre más rápido. Por lo que sus brazos y patas tienen que tener una longitud similar para facilitar la transición de estar de pie a caminar a cuatro patas, como los primates.

ARCHIVO DE DATOS FISIOLÓGICOS

Tamaño:	**Hasta 1,8 m de altura.**
Peso:	**63 kg.**
Piel:	**Marrón moteada y gris, a veces con algún punto en blanco.**
Ojos:	**Amarillos o (en raras ocasiones) azules.**
Señales:	**Ganado atacado salvajemente, helechos aplastados, huellas de sus garras características sobre suelo blando.**

POSTURA CLÁSICA
Aullándole a la luna.
Aquí hemos exageraa
las proporciones.
TORSIÓN
La espalda arqueada
muestra la tensión
muscular, la fuerza a
punto de liberarse, como un
atleta en los tacos de salida
HOMBRE LOBO MEDIO RATA
Este ejemplo no está fuera de
lugar, pero es cierto que
los roedores tienen una
naturaleza diferente
a la de los lobos.
¿PODRÍA DESARROLLARSE UN LOBO
A PARTIR DE UN TORSO HUMANO?
Este torso requiere de una
gran cola para que actúe de
contrapeso al resto del cuerpo.

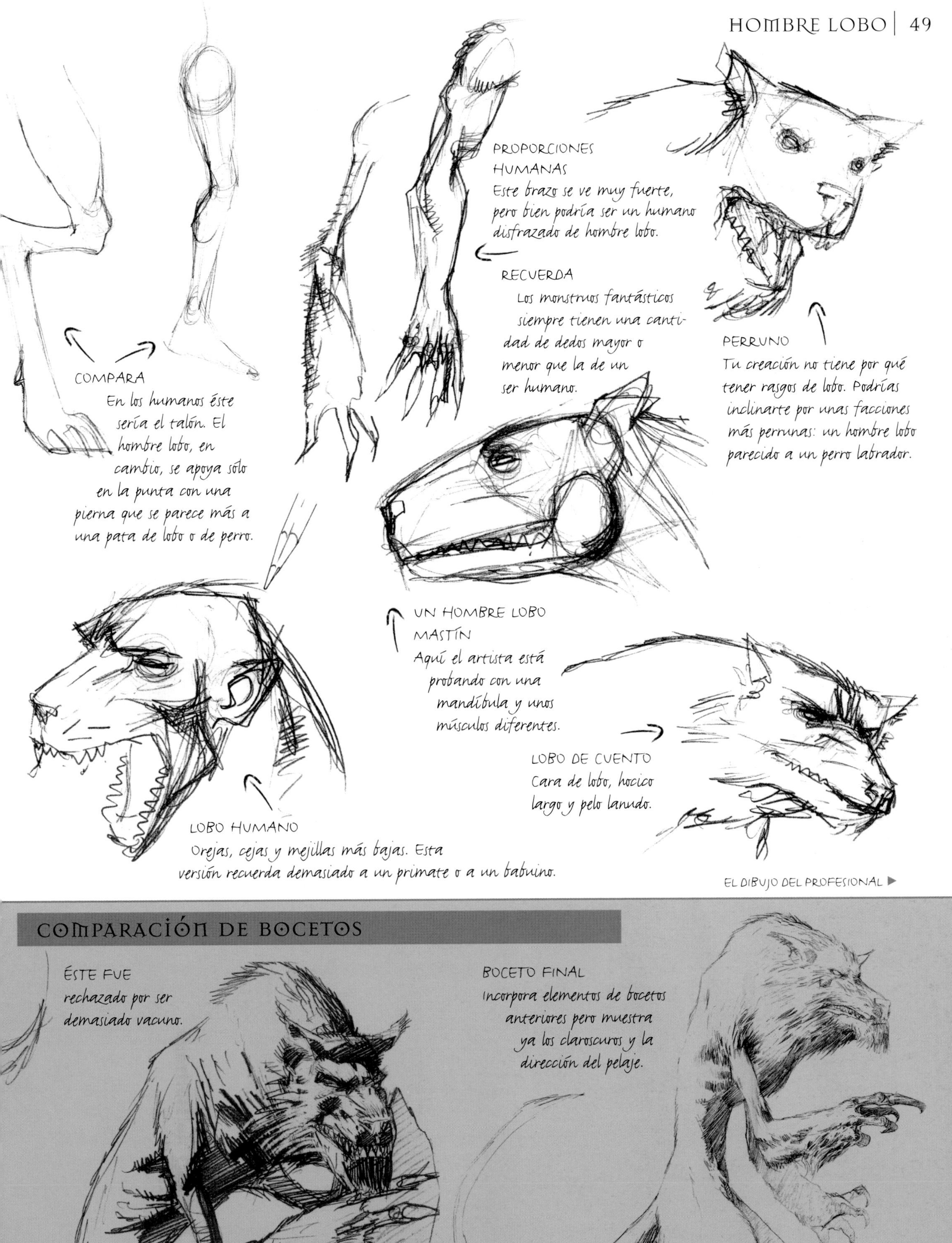

PROPORCIONES HUMANAS
Este brazo se ve muy fuerte, pero bien podría ser un humano disfrazado de hombre lobo.
RECUERDA
Los monstruos fantásticos siempre tienen una cantidad de dedos mayor o menor que la de un ser humano.
PERRUNO
Tu creación no tiene por qué tener rasgos de lobo. Podrías inclinarte por unas facciones más perrunas: un hombre lobo parecido a un perro labrador.
COMPARA
En los humanos éste sería el talón. El hombre lobo, en cambio, se apoya sólo en la punta con una pierna que se parece más a una pata de lobo o de perro.
UN HOMBRE LOBO MASTÍN
Aquí el artista está probando con una mandíbula y unos músculos diferentes.
LOBO DE CUENTO
Cara de lobo, hocico largo y pelo lanudo.
LOBO HUMANO
Orejas, cejas y mejillas más bajas. Esta versión recuerda demasiado a un primate o a un babuino.
COMPARACIÓN DE BOCETOS
ÉSTE FUE
rechazado por ser demasiado vacuno.
BOCETO FINAL
Incorpora elementos de bocetos anteriores pero muestra ya los claroscuros y la dirección del pelaje.

EL DIBUJO DEL PROFESIONAL ▶

EL DIBUJO DEL PROFESIONAL

COLORES UTILIZADOS

ACRÍLICOS

AZUL ULTRAMAR

SOMBRA TOSTADA

AMARILLO OCRE

SIENA TOSTADA

BLANCO

LÁPICES POLICROMOS

MARRÓN OSCURO

NEGRO

El artista ha utilizado pintura acrílica y lápices policromos para la ilustración final. El acrílico se ha empleado en su forma opaca y como diluyente transparente. Se han realizado varios bocetos preliminares (ver págs. 48-49) hasta llegar al estilo de bestia que se buscaba. Por último, se ha dibujado y coloreado el boceto final.

1

COMO REALIZAR EL DIBUJO FINAL

Extiende sobre tu caballete o superficie de trabajo todos los bocetos que has hecho hasta el momento. Tenlos a la vista mientras trabajas en el dibujo final para poder combinar detalles de diferentes bocetos.

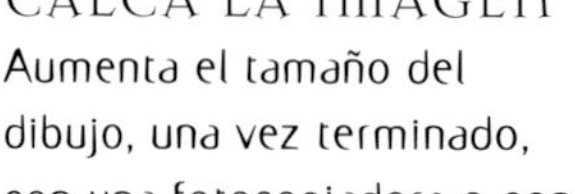

2

CALCA LA IMAGEN

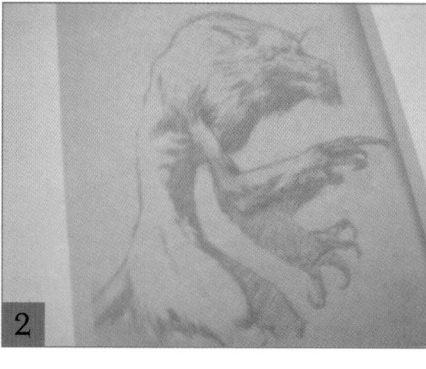

Aumenta el tamaño del dibujo, una vez terminado, con una fotocopiadora o con un escáner y pégalo a una caja de luz con cinta adhesiva para que no se mueva. Ahora cálcalo sobre un papel para acuarelas con un lápiz marrón oscuro resistente al agua. Para los ojos, las garras, la boca y la nariz utiliza una punta fina, y para el pelaje utiliza una punta gastada. Marca las zonas sombreadas con trazos amplios.

3

UTILIZA LOS BAÑOS DE ACRÍLICO

Estira el papel sobre un tablero y deja que se seque. Después, humedece el papel con agua limpia y trabaja con capas de húmedo sobre húmedo para que los colores se fundan. Aplica capas finas de acrílico azul ultramar y sombra tostada con un pincel grande. Ahora deja que se seque porque si pintas encima las siguientes capas se mezclarán también y perderás los trazos. Para no esperar tanto, puedes utilizar una secadora.

4

VARIACIÓN EN LOS BAÑOS DE ACRÍLICO

Utilizando los mismos colores, pero no tan diluidos, vuelve a aplicar baños con un pincel grande, pero esta vez ten cuidado de no pasarte de las líneas. Mezcla los colores en el papel para conseguir variaciones jaspeadas de azul y marrón; así estás definiendo el contorno del hombre lobo. Tienes que dibujar el pelaje medio emplumado para crear la sensación de que se trata de la piel de una bestia.

5

VALORES TONALES

Cuando se haya secado la primera capa, aplica otro baño para aumentar los detalles y darles forma, acumula capas para crear zonas claras y oscuras tomando como guía los trazos iniciales del dibujo. Añade amarillo ocre a la paleta con azul ultramar y sombra tostada para crear tonos diferentes en la piel del hombre lobo.

6 PELAJE CON TEXTURA

Cuando las diferentes capas estén secas (la pintura tiene que quedar rugosa y áspera) trabaja sobre la pintura con lápices negro y marrón oscuro. El dentado del papel absorbe el pigmento para que puedas definir y dar textura a los mechones más fácilmente. No te olvides de que las orejas, la nariz, los ojos y la boca tienen que quedar más oscuros.

7 DEFINICIÓN DEL HOCICO

Pinta el hocico utilizando la técnica del pincel seco y aplicando un poco de pintura acrílica blanca opaca.

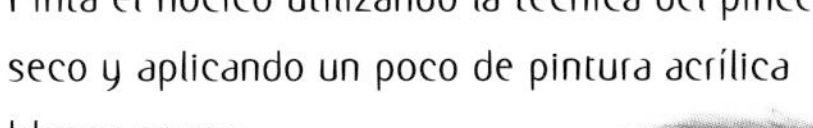

8 TRABAJA LOS NUDILLOS

Presta una atención especial a los puntos que están más a la vista, donde quieras que se dirija la mirada del espectador. Aumenta el contraste entre la claridad y la oscuridad en las superficies más brillantes y duras. Aquí, se ha aplicado pintura acrílica sombra tostada y siena tostado a los nudillos para lograr una mayor definición.

9 DETALLES FINALES

Ahora es el momento de colorear los dientes, los ojos y la nariz. Aplica sobre los ojos una combinación de color poco común para representar la naturaleza sobrenatural del hombre lobo.

BOCETOS DE PERSONAJES: DEMONIO

Los demonios se han manifestado en varias formas a lo largo de los siglos, pero, tradicionalmente, siempre se les ha considerado como espíritus malignos o diabólicos, aunque en algunas ocasiones también sean buenos.

Estos demonios diabólicos aparecen en áreas densamente pobladas, pero pobres, y a menudo se les puede encontrar infestando lugares donde hay deshechos y basureros, o entre la población humana más abandonada.
Se alimentan de una única forma: absorben la energía bioeléctrica de cualquier forma de vida que se les cruce por el camino. Aunque su manera de alimentarse no provoca la muerte por sí misma, suele dejar a sus víctimas débiles y sin protección ante las enfermedades, lo que les provoca trastornos psicológicos como son los cambios de humor, la somnolencia y, en casos extremos, la depresión maníaca.
El demonio tiene un esqueleto que no deja de crecer durante toda su vida, por lo que acaba desarrollando protuberancias extrañas y algunos de sus huesos toman forma de espuelas.

UNA PERSPECTIVA TRADICIONAL
Este demonio tradicional se basa en un mito de la era precristiana. Se trata del antiguo dios griego Pan que tiene facciones mitad humanas, mitad de cabra.

CREACIÓN DE LA FORMA
Este otro demonio tiene las facciones básicas del macho cabrío: cuernos y cabeza puntiaguda. Sus piernas también nos recuerdan a las patas traseras de este animal. Fíjate en sus pies invertidos.

SOMBREADO EN ZIGZAG
Un diseño amorfo como éste se realiza mejor con un sombreado en zigzag. Las formas se pulen al añadir los detalles en los posteriores repasos a lápiz.

DEMASIADO CABRÍO
Un demonio con rostro completamente de cabra parecería demasiado pasivo y nada amenazante, para evitarlo humaniza sus rasgos.

OJOS BRILLANTES

Añade destellos blancos para conseguir unos ojos brillantes.

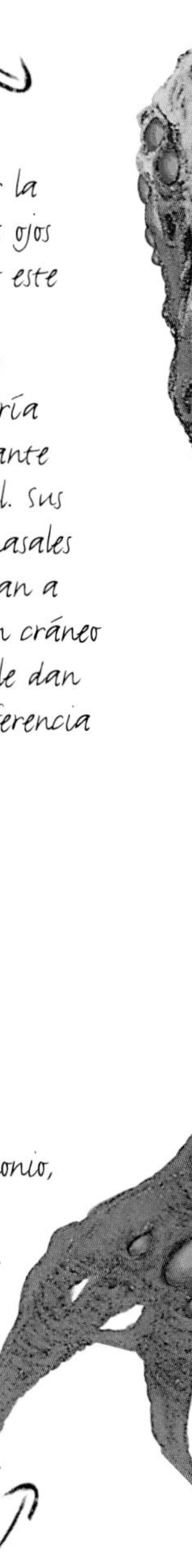

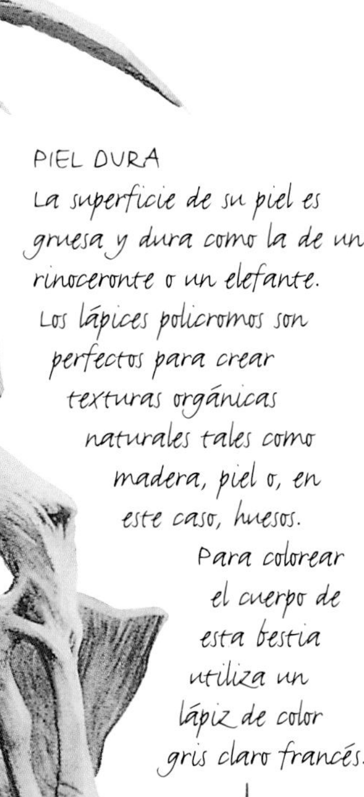

BOCETO FRONTAL

En este boceto se pueden apreciar la asimetría de la disposición de los ojos y la ausencia de boca. Pero como este demonio se alimenta absorbiendo energía bioeléctrica, una boca le resultaría bastante inútil. Sus fosas nasales recuerdan a las de un cráneo humano, le dan de una referencia subliminal.

PIEL DURA

La superficie de su piel es gruesa y dura como la de un rinoceronte o un elefante. Los lápices policromos son perfectos para crear texturas orgánicas naturales tales como madera, piel o, en este caso, huesos. Para colorear el cuerpo de esta bestia utiliza un lápiz de color gris claro francés.

PARTES ILUMINADAS

Las palmas de las manos del demonio, desde las que absorbe la energía bioeléctrica, son puntos brillantes. Los ojos y estos puntos en las palmas se han coloreado con azul ultramar mezclado con blanco. Añade un tono más claro de este mismo color mezclado con azul lapislázuli en el centro de las garras en forma de vaina para aumentar su vitalidad.

COLOREA LA BESTIA

El dibujo se ha pulido usando Photoshop para imprimirlo en tonos morados. Se ha obtenido este color aplicando varias capas de azul ultramar y sombra tostada hasta conseguir un tono oscuro. Después, se ha añadido una mezcla de acrílico opaco compuesta por sombra tostada, azul ultramar, blanco y un toque de amarillo ocre para las zonas que requerían un acabado más pulido. Para las capas posteriores, los tonos se han aclarado un poco con pintura blanca, amarillo ocre y unos toques de rojo férreo oxidado con el fin de dar un toque rosado a los huesos. Para los contrastes más extremos se ha dejado a un lado el color rojo.

Bestias marinas

Inspírate

Los océanos están repletos de criaturas extrañas. Te bastará una visita a un acuario o a un museo de Historia Natural para hacerte una idea de cómo dibujar una bestia que viva en el mar. También puedes encontrar la inspiración leyendo viejos libros sobre monstruos marinos.

1 La flora que vive en los océanos es muchas veces tan colorida y viva como la fauna.

2 Los tiburones son unos de los predadores de mayor tamaño de todo el planeta en peligro de extinción. Se tienen pruebas de su existencia que datan de hace 430 millones de años. Su figura elegante y dinámica les permite nadar sin gastar apenas energía. Este hecho es muy importante, ya que nunca duermen y siempre están nadando.

3 Busca características comunes en los habitantes de las profundidades del mar e intenta utilizarlas después, cuando dibujes criaturas fantásticas.

4 El calamar y el pulpo son unas de las criaturas naturales más extrañas que existen. Podrían ser unas criaturas fantásticas bien convincentes sin ni siquiera modificarlos.

1

2

3
4

BOCETOS DE PERSONAJES: LEVIATÁN

El Leviatán es una criatura primigenia mencionada por primera vez en el Libro de Job, en el Antiguo Testamento, pero de la que se dice que ya existía antes de que Dios creara la Tierra. La mitología nos cuenta que la reaparición de esta criatura presagia el fin del mundo.

Es de una dimensión tan enorme que ningún humano ha sido capaz de verlo entero nunca. Su tamaño exagerado permite que tenga un ecosistema propio instalado en su cuerpo. Los niveles de detalle convencionales no pueden aplicarse al dibujo de una criatura de tales dimensiones. Piensa en él como si fuera un paisaje en vez de una criatura, en donde los detalles se ven borrosos por la distancia. Puedes utilizar formas abstractas que den la sensación de mal presagio que genera una criatura con cuernos tan grandes como montañas.

ARCHIVO DE DATOS FISIOLÓGICOS	
Tamaño:	**Más de 48 km de longitud.**
Peso:	**Desconocido.**
Piel:	**Azul oscuro / negro.**
Ojos:	**Oscuros.**
Señales:	**Armagedón.**

PRUEBA DIFERENTES DISEÑOS
Aunque estés representando una figura tan enorme que el tamaño acaba ocultando su verdadera forma, vale la pena realizar algunos bocetos para ser conscientes de las formas que hay detrás de las capas de coral, rocas y plantas. También será una buena demostración de lo fácil que se puede perder la escala cuando dibujas la criatura entera.

CREA LA FORMA
La forma básica se crea a partir de elipses exageradas de diferentes tamaños.

VISTA FRONTAL
Esta vista frontal del Leviatán destaca su fuerza y poder de agresión a pesar de no mostrar su descomunal tamaño. Para no perder esa característica en una vista frontal tendrás que colocar algún objeto en el campo de visión, como por ejemplo un transatlántico hundiéndose.

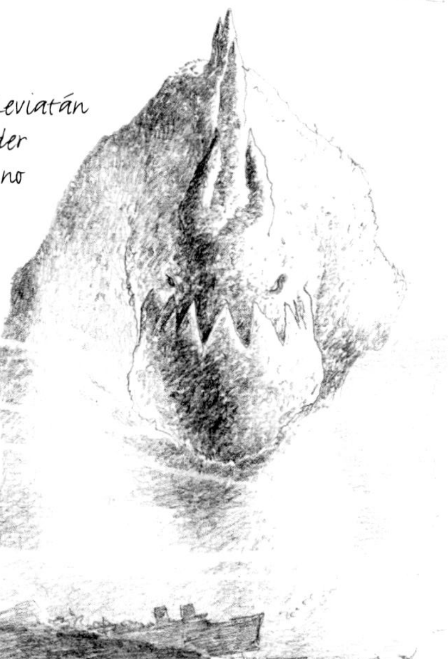

ESCALA
Un boceto a lápiz no es suficiente para apreciar una representación a escala, pero como tenemos una idea aproximada del tamaño que tendría una ballena, eso ya nos sirve a modo de comparación.

TÉCNICAS PARA DETALLES ALEATORIOS

Ante una criatura tan grande no puedes utilizar los niveles de detalle convencionales y específicos, sino que debes optar por un enfoque más impresionista, como si se tratara del dibujo de un paisaje. Aquí tienes tres maneras diferentes de crear detalles naturales aleatorios: se pueden utilizar solos o combinados entre sí.

Una interesante variación de las técnicas de *impasto* y pincel seco, aquí abajo, muestra que prácticamente cualquier material sirve para crear unos diseños interesantes en combinación con el uso del pincel seco. Los colores que se empleen no tienen importancia, sólo dependerán del tipo de superficie que quieras representar.

SOMBREAR EN ZIGZAG Y PINTAR

1 Empieza rellenando las zonas más extensas de sombra con un rotulador permanente negro para continuar después añadiendo líneas y pequeños puntos por donde prefieras, aunque algunos parezcan garabatos por su forma. Si alguna línea no te acaba de convencer siempre puedes cubrirla más tarde, cuando apliques la pintura.

2 Aplica una primera capa de un color base lo suficientemente diluido como para que no oculte los trazos en negro. Los colores que mejor le van a esta bestia son los tierra poco saturados. Después, ayudándote con un lápiz negro añade una capa de gris, rayando las zonas más oscuras.

3 Por último sólo tienes que ir añadiendo capas de colores opacos cada vez más claras. En este caso, se ha utilizado pintura acrílica diluida hasta conseguir una consistencia cremosa para trabajar un poco más las formas que se habían dibujado con el rotulador.

IMPASTO Y PINCEL SECO

1 Utilizar este tipo de rotuladores es muy buena idea para definir las zonas de mayor dimensión de tu dibujo. Los trazos de un rotulador más fino desaparecerían al aplicarles pintura encima.

2 Aplica una primera capa de *impasto* a base de pintura acrílica mezclada con diluyente acrílico mate consistente, ayudándote de un pincel grande o de una espátula . Esta mezcla tiene que tener una consistencia más fluida que la de la pasta dentífrica.

3 Repite el proceso hasta crear una textura adecuada para la superficie. Si utilizas el pincel o la espátula para salpicar el papel conseguirás unos pegotes de pintura bastante espesos.

4 Utilizando la técnica del pincel seco esparce la pintura por la superficie. La pintura se adherirá a esos pegotes, dejando zonas en blanco. Escoge el tamaño del pincel en función de la escala del dibujo o de la dimensión de la zona que quieras colorear.

5 Sigue con el proceso, mezclando sucesivamente tonos cada vez más claros de pintura y reduciendo también el tamaño del pincel, hasta conseguir una textura y unos detalles determinados.

BOLSA DE PLÁSTICO Y PINCEL SECO

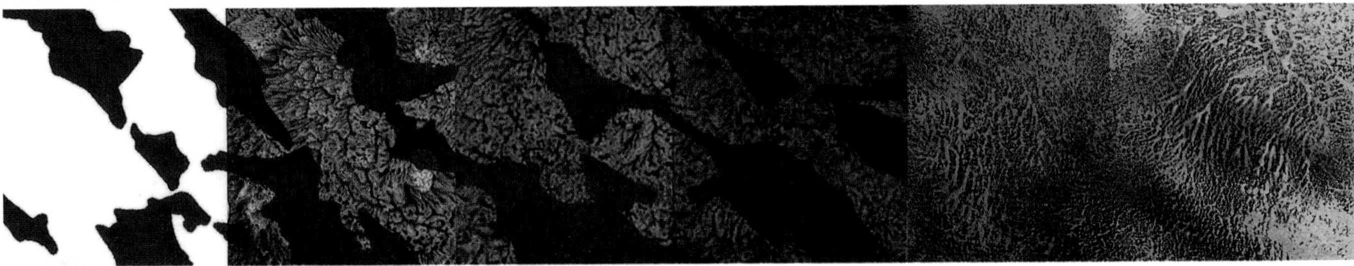

1 Envuelve un trapo con una bolsa de plástico y presiona sobre la pintura húmeda. Conseguirás unas formas muy interesantes que te recordarán a unas vetas o algas.

2 Sobrepón varias capas con la técnica del pincel seco.

3 Puedes superponer baños de colores transparentes para crear variaciones sutiles de tonalidad. Presta atención a los tonos de los colores que hayas escogido; los más claros crearán un contraste mayor en los detalles.

EL DIBUJO DEL PROFESIONAL

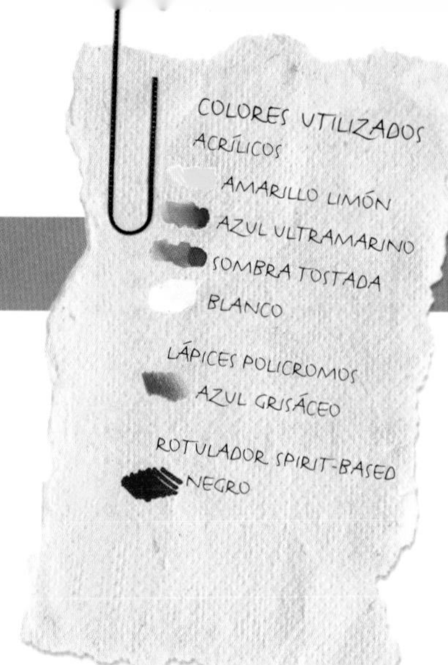

COLORES UTILIZADOS
ACRÍLICOS
AMARILLO LIMÓN
AZUL ULTRAMARINO
SOMBRA TOSTADA
BLANCO
LÁPICES POLICROMOS
AZUL GRISÁCEO
ROTULADOR SPIRIT-BASED
NEGRO

El artista ha estirado un papel para acuarela sobre un tablero y ha copiado las formas del boceto por encima con un rotulador negro con base de alcohol. Después ha fijado el papel aplicándole una capa de diluyente acrílico mate. La textura se ha conseguido con una mezcla de una capa de pintura acrílica con diluyente mate y un retardador de secado con la que se ha cubierto toda la imagen. Utilizando un trozo de plástico limpio enrollado se han creado diferentes formas y diseños en la pintura. Después de haberse secado, se ha aplicado más color a base de baños claros de acrílico transparente, con la ayuda de toques de acrílico opaco para resaltar formas sobre el fondo.

CÓMO FINALIZAR UN DIBUJO

Dibuja los contornos y las zonas más importantes de las sombras sobre un papel para acuarela estirado con un rotulador negro con base de alcohol.

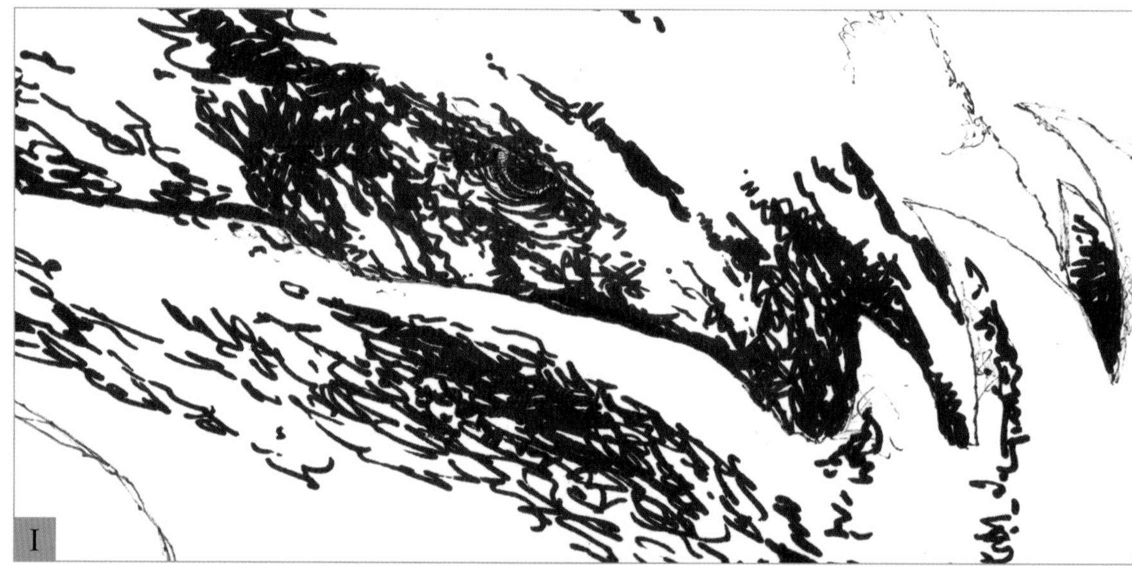
1

2

CREA TEXTURAS

Después de aplicar una capa de diluyente mate para fijar los colores, deja que se seque y aplica una capa de acrílico sombra tostada con azul ultramar, mezclada con diluyente mate y el retardador de secado. Coloca un trozo de plástico limpio sobre la pintura y muévelo por la superficie para crear formas con los dedos. Prueba también levantando el plástico de la hoja para crear texturas diferentes. A medida que la pintura se vaya secando las formas serán más sutiles.

3

DEFINE LOS CONTORNOS

Colorea el fondo con una mezcla de azul ultramar, "burnt umber" y blanco. Así definirás el contorno de la criatura.

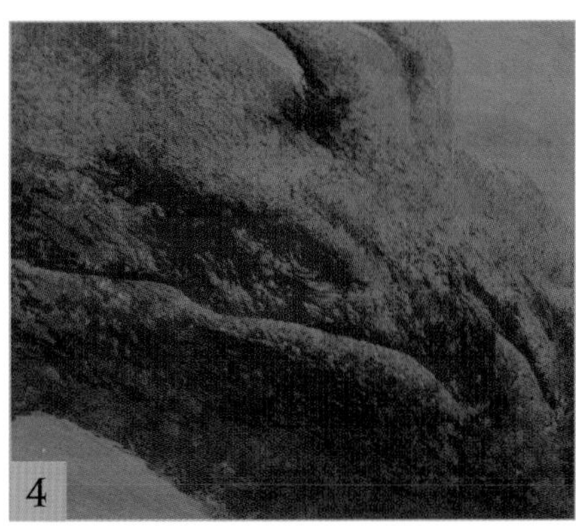

4

COLOREA LOS DETALLES OSCUROS

Añade algunos detalles siguiendo las formas que creaste en el paso 2 con una pintura un tono más oscura que la del fondo. Así crearás zonas iluminadas y con textura en el cuerpo de la criatura.

VALORES TONALES

Toma como ejemplo las formas que creaste en el paso 4, pero ahora trabaja sobre zonas más pequeñas con una versión un poco más clara del mismo color, añadiendo blanco y amarillo limón a la mezcla. Así representarás la ilusión de los rayos de luz en el fondo del mar.

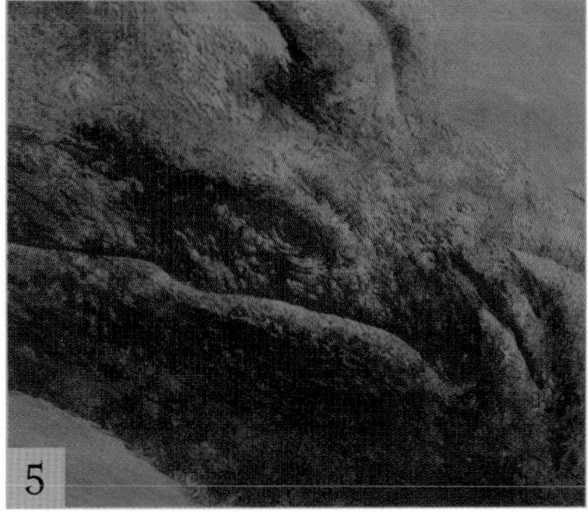

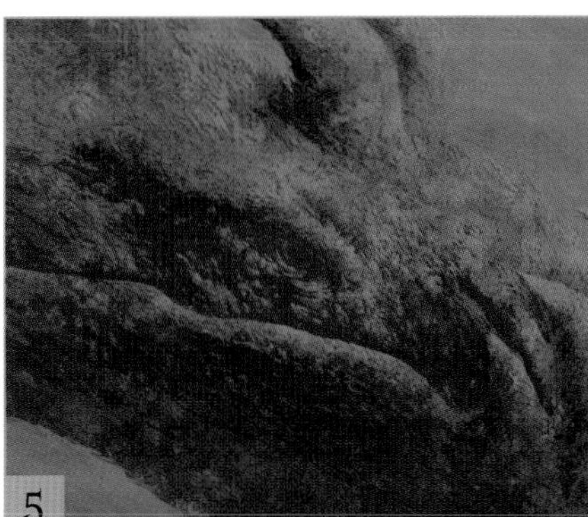

5

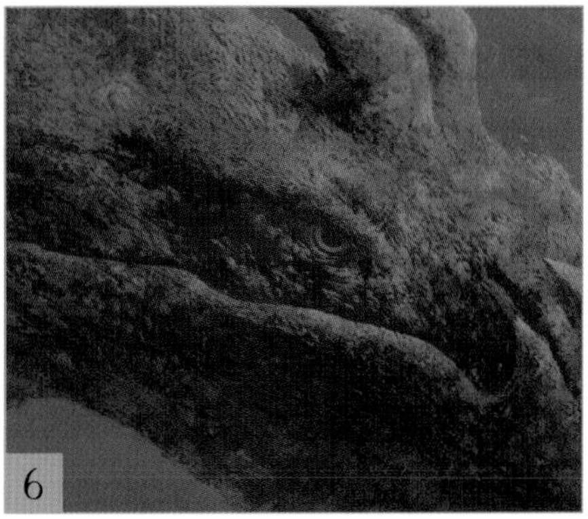

ÚLTIMOS DETALLES

Colorea el círculo del ojo con los mismos colores, pero utilizando menos azul. No necesitarás añadir brillos porque el ojo está en la sombra. Puedes añadir algunos trazos de sedimento debajo de la criatura con un lápiz azul oscuro-gris.

6

LA ILUSIÓN DEL MOVIMIENTO

Repite este proceso pintando con un tono cada vez más claro, a medida que te aproximas al centro de las zonas que has coloreado antes. Con cada capa el color tiene que ser más claro y amarillento. Puedes añadir burbujas de aire con la mezcla que utilizaste para pintar el cuerpo, así parecerá que deja un rastro de burbujas con la consiguiente ilusión de movimiento.

Bocetos de personajes: Espíritu del mar

Del mismo modo que el mar es conocido por su fuerza, el Espíritu del mar es una criatura poderosa, escurridiza y preparada para desafiar a quien sea. Mide aproximadamente 7 metros, desde la cabeza hasta la cola, y aunque su cabeza y sus brazos pueden recordarnos a los de un humano, sus dimensiones reales las doblan. La membrana interdigital de sus manos y su enorme cola le permiten nadar a una velocidad asombrosa; su color azul verdoso y su pelo a modo de algas le hacen prácticamente invisible cuando quiere pasar desapercibido.

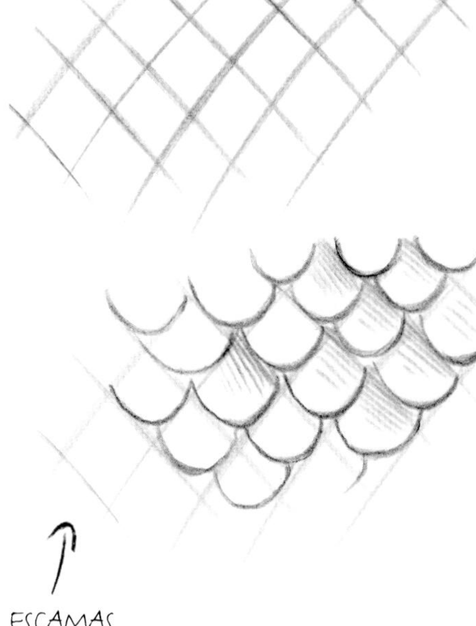

ESCAMAS
Las escamas pueden resultar difíciles de dibujar. Con este proceso de 2 pasos siempre te saldrán bien.

Tan pronto puede ayudar a un humano perdido en el mar como hundir un barco poco afortunado si se le antoja. Su ira puede ser muy útil cuando siente que algún artilugio humano amenaza su medio, como balleneros o algún petrolero con una fuga. Un golpe de su poderosa cola genera olas capaces de hundir un velero. Sus afiladas garras y su fuerza sin igual le permiten agujerear el casco de la mayoría de los barcos de un solo puñetazo.

Este Espíritu del mar tiene una apariencia muy misteriosa gracias a la combinación de elementos, tanto de algas como de criaturas marinas. A pesar de estas características, con la incorporación de unos brazos casi humanos y de una cabeza bien peculiar hacemos que el espectador entienda que se trata de una criatura inteligente que, probablemente, sea capaz incluso de comunicarse.

CREA LA FORMA
Puedes crear la forma de la cabeza con una estructura simple. Será más plana que una cabeza humana y de un tamaño bastante considerable para que sus grandes ojos y boca quepan bien. Empieza dibujando un trapecio con la base mayor, tal como puedes observar. Esto te ayudará a conseguir la forma correcta.

DETALLES
El Espíritu del mar se confunde con su medio gracias a su peto a modo de algas.

OJOS TEMERARIOS
Unos ojos sin apenas rasgos, negros y temerarios harán que la criatura parezca peligrosa y desconocida y además, también se adecuan al medio en que vive.

COLOREA LA BESTIA
Esta criatura se ha dibujado a lápiz sobre un tablero de dibujo imprimado en gesso acrílico. Sella el dibujo con un diluyente mate, que cuando se seque quedará transparente, para que los trazos a lápiz no se mezclen con la pintura. Después añade los colores con pintura acrílica y pinceles de diferentes tamaños, tanto de cerdas como sintéticos.

MEMBRANA INTERDIGITAL
Cuando intenta abrirse paso en el mar la membrana interdigital de sus manos presta la misma función que las aletas a los peces, ya que origina una fuerza locomotora. Dentro del agua permiten avanzar mucho más rápido que una mano humana.

DIBUJA LOS BRAZOS
Para crear apéndices como los brazos utiliza formas que se sobrepongan para darles profundidad. Si dibujas cada segmento solapándose sobre el siguiente a lo largo de la línea del brazo crearás un efecto de escorzo, por lo que parecerá que la criatura se acerca a ti. En este boceto se ha exagerado el efecto para mostrar la dirección de los trazos claramente.

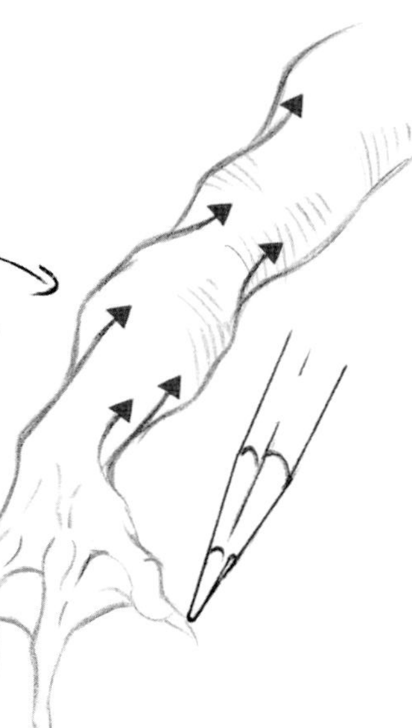

BOCETOS DE PERSONAJES: DRAGÓN MARINO

Este dragón es la clásica serpiente marina tan temida por muchos marineros. El siglo XV fue la época en la que despertaron más terror, cuando los exploradores occidentales intentaban llegar a Oriente. En esa época, mucha gente creía que la Tierra era plana y que, por lo tanto, los barcos sólo podrían navegar hasta llegar al final del mar, donde se acababa la Tierra. En los mapas de la época se podía leer: "Aquí habitan dragones" en los mares que aún no se habían explorado

CERRADA O ABIERTA
Recuerda que cuando dibujes unos dientes grandes o largos, tienes que dejar espacio suficiente entre ellos para que pueda cerrar bien la boca, a menos que tu personaje tenga labios (un simio o un humano) y los dientes no se le vean con la boca cerrada.

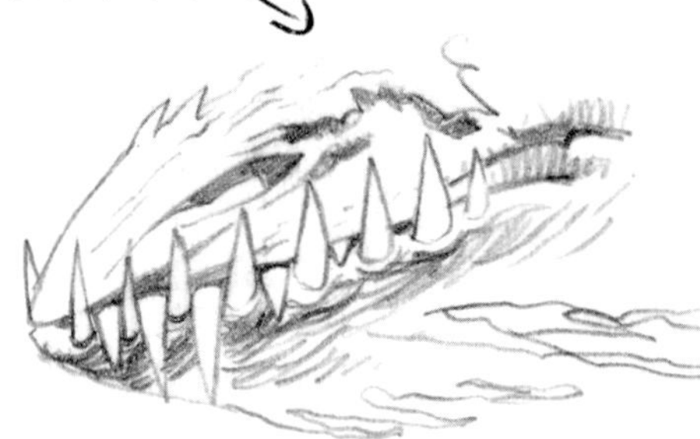

El dragón marino se parece al del pantano pero éste puede sobrevivir en agua corriente o salada y a mayor profundidad. Como pasa con su familiar más cercano, el monstruo del lago Ness, apenas se le ve fuera del agua.

El dragón marino es una criatura extremadamente protectora de su territorio y se la conoce por haber atacado a submarinos en las profundidades del mar. Tiene un apetito voraz y se alimenta de criaturas acuáticas de gran tamaño.

ILUMINA UN OBJETO TRANSPARENTE
Un diente común es opaco y un poco más oscuro cerca de la base.

Un diente translúcido o transparente, como el que podría tener el dragón marino, se comporta más bien como una lente o como una bola de cristal (ver más abajo).

Una fuente de luz cenital invierte la luz dentro de la bola de cristal, por lo que la zona más oscura está más cerca de la luz. Aún nos queda un destello en la superficie ya que se trata de un objeto brillante y aunque sea transparente hace sombra.

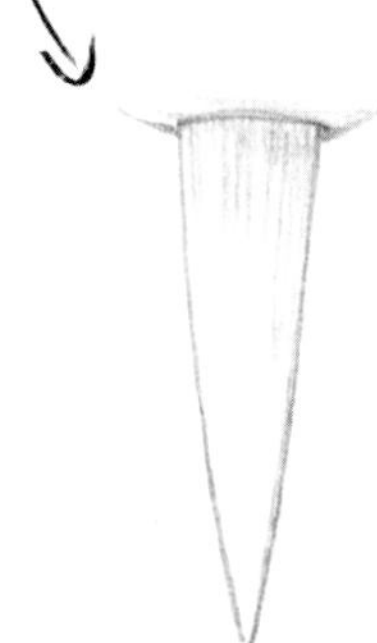

CREA UN DESTELLO

Esta técnica se puede utilizar para representar cualquier parte de una criatura que brille, sirve tanto para unos ojos como para, las antenas del dragón marino. Conseguir este efecto es más fácil con pinturas acrílicas o *gouache*. Si se utilizaran acuarelas o tintas se tendría que pintar alrededor de la zona que tiene que quedar brillante.

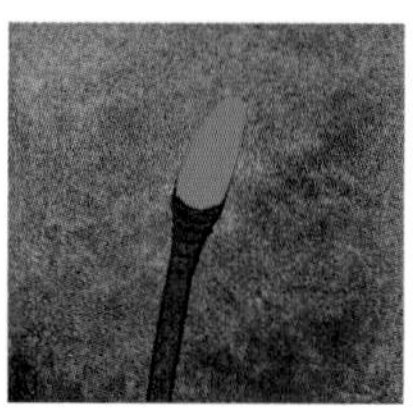

1 Pinta la zona con el color que quieras utilizando un tono más claro que el del fondo; no tiene por qué ser de la misma gama.

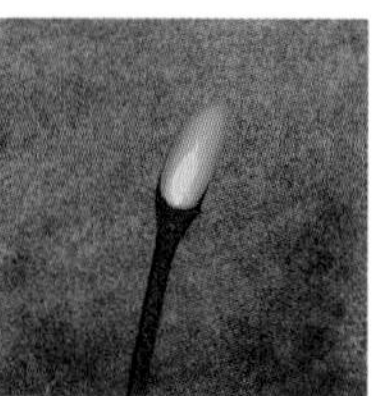

2 Aplica capas de color sucesivas cada vez más claras, reduciendo la superficie pintada en cada capa. La parte más brillante debería ser el foco de la fuente de luz. Además puedes buscar un toque más interesante añadiendo un segundo color, siempre que no sea blanco, pero las capas tienen que seguir siendo cada vez más claras y cálidas a medida que te acercas al punto más brillante.

3 Si añades un destello en blanco en otra parte de la figura puedes dar la sensación de que la luz está dentro de una concha dura o brillante.

LA ILUSIÓN DEL MOVIMIENTO

Crea una sensación de movimiento que tenga en cuenta la estructura y el comportamiento de la criatura. El dragón marino carece de extremidades y sus aletas, tan poco consistentes, difícilmente podrían ser las responsables de los desplazamientos de una criatura de estas dimensiones.
Su forma ondulada nos da a entender que se desplaza por el agua más bien como una anguila.

LA DIRECCIÓN DEL DESPLAZAMIENTO

El agua se mueve en dirección contraria a la que se desplaza el dragón. Esta sensación de movimiento se ve aumentada por la forma en que sus aletas en forma de algas quedan estiradas hacia atrás, como si fueran dejando un rastro en el agua.

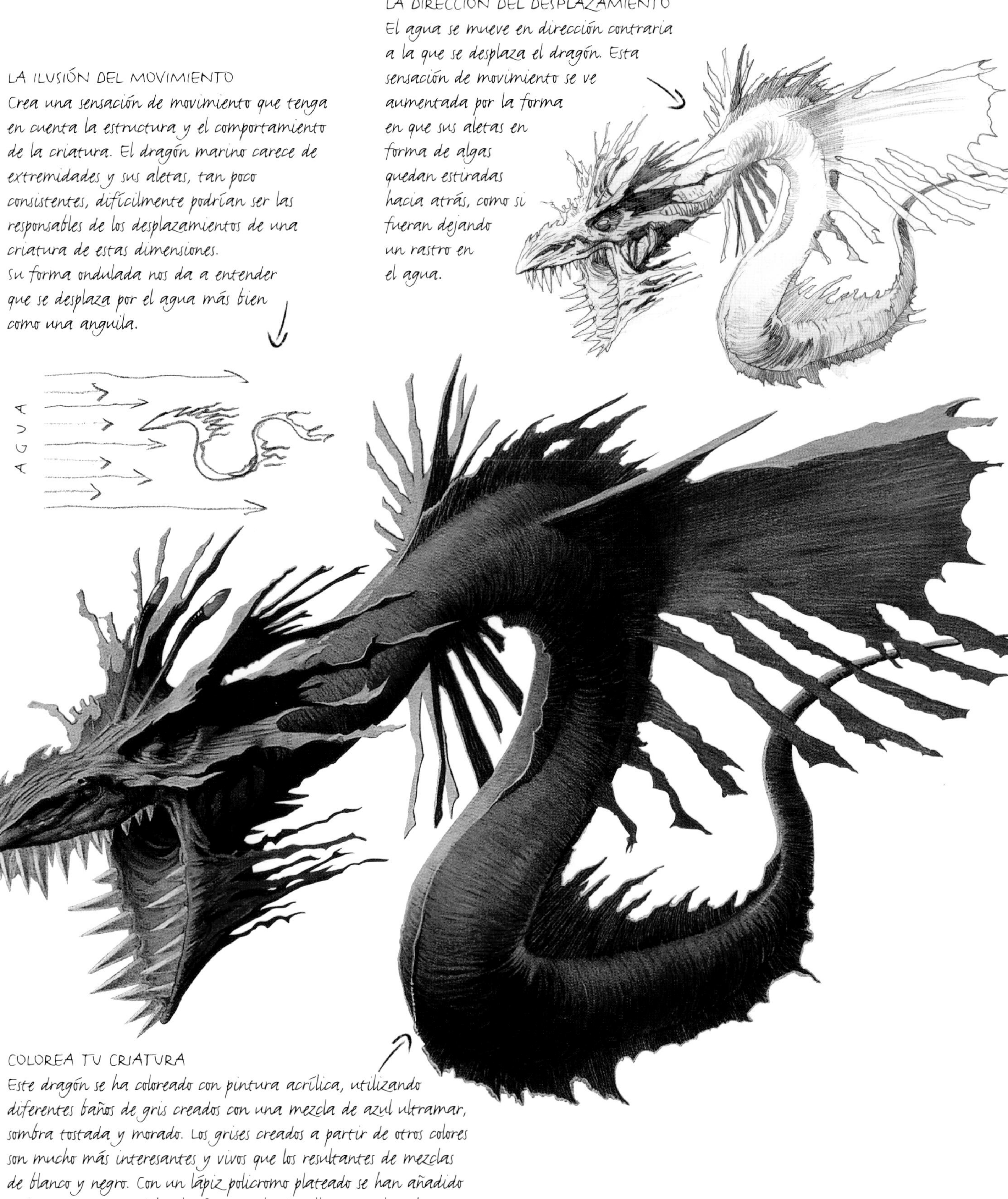

COLOREA TU CRIATURA

Este dragón se ha coloreado con pintura acrílica, utilizando diferentes baños de gris creados con una mezcla de azul ultramar, sombra tostada y morado. Los grises creados a partir de otros colores son mucho más interesantes y vivos que los resultantes de mezclas de blanco y negro. Con un lápiz policromo plateado se han añadido más capas para modelar la forma y los detalles. Para las aletas a modo de velas se utilizó un lápiz azul. En los últimos estadios de la creación, se aplicó blanco acrílico opaco con un toque de morado para pulir los bordes y añadir alguno que otro brillo.

Bocetos de personajes: Kraken

El *Kraken* es un temible monstruo marino cuyo origen se encuentra en los cuentos noruegos del siglo XX. Según la leyenda, el *kraken*, a veces descrito como una criatura de dimensiones semejantes a las de una isla pequeña, es capaz de rodear el casco de un barco con sus brazos y hundirlo.

El *Kraken* de estos cuentos podría ser lo que ahora conocemos como un calamar gigante. Los calamares gigantes no se han visto en muchas ocasiones, y poco se sabe sobre su comportamiento, a pesar de eso se acepta su existencia. No alcanzan las dimensiones de una isla pequeña, pero son lo suficientemente grandes como para enfrentarse a un cachalote y han llegado a atacar barcos.

El *Kraken* suele habitar en aguas frías; utiliza la especie de caparazón con forma de cuerno que tiene en la cabeza para romper el hielo cuando queda atrapado bajo él. Sus tentáculos están cubiertos por ventosas y ganchos afilados giratorios.

CREA LA FORMA
El kraken está formado por varias figuras: el manto, el cuerpo cilíndrico, el caparazó la cabeza y sus tentáculos. Se ha dibuja a trazos poco precisos para representa la naturaleza ondulante de la criatura.

VISTA FRONTAL DE LOS OJOS
Los ojos del kraken están en una posición similar a los de un pulpo. La inspiración para el cuerno de la cabeza viene del caparazón de los extinguidos, desde hace largo tiempo, belemnites.

MOVIMIENTO
El kraken se mueve expeliendo agua a través de un sifón que tiene en la parte inferior de su cuerpo y sirviéndose de las grandes aletas que le salen del manto a modo de timones.

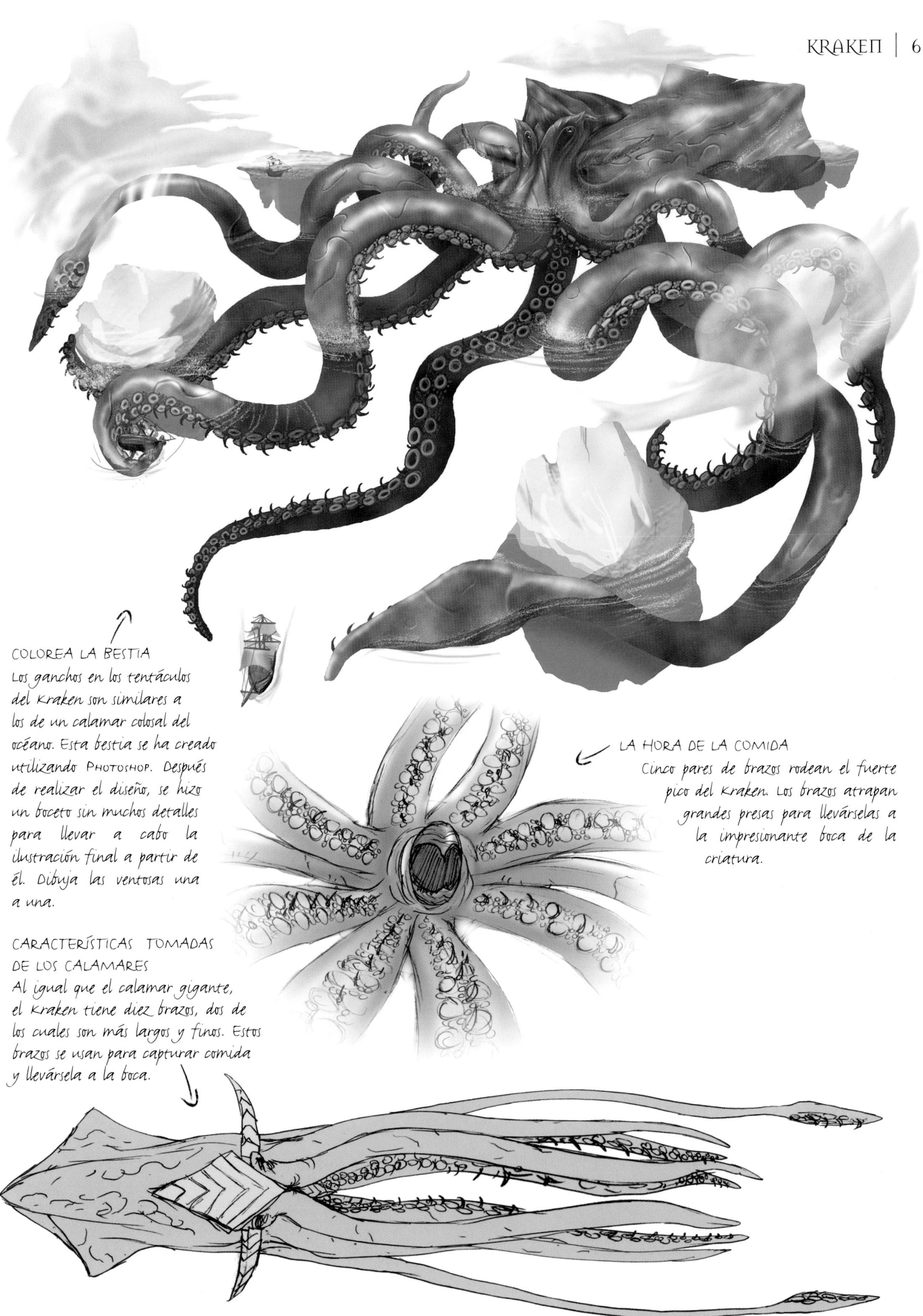

COLOREA LA BESTIA
Los ganchos en los tentáculos del Kraken son similares a los de un calamar colosal del océano. Esta bestia se ha creado utilizando Photoshop. Después de realizar el diseño, se hizo un boceto sin muchos detalles para llevar a cabo la ilustración final a partir de él. Dibuja las ventosas una a una.

LA HORA DE LA COMIDA
Cinco pares de brazos rodean el fuerte pico del Kraken. Los brazos atrapan grandes presas para llevárselas a la impresionante boca de la criatura.

CARACTERÍSTICAS TOMADAS DE LOS CALAMARES
Al igual que el calamar gigante, el Kraken tiene diez brazos, dos de los cuales son más largos y finos. Estos brazos se usan para capturar comida y llevársela a la boca.

BOCETOS DE PERSONAJES: CRIATURA MARINA

La criatura marina es un híbrido de mitos y folclore que combina los mitos de las sirenas con los de otras criaturas marinas (como las *selkies* y las sirenas de los mitos de la antigua Grecia).

Siempre se ha considerado a la sirena más como a una criatura natural que como a una criatura de origen sobrenatural, supuestamente responsable de encantar a los marineros con sus poderosos cantos para llevarlos hasta las rocas donde encuentran la muerte. Se creyó en su existencia hasta hace relativamente poco. De hecho, la creencia en estas criaturas ha llegado a ser tan fuerte que en algunas comunidades de pescadores del suroeste de Inglaterra se llegó a afirmar que entre sus habitantes contaban con personas descendientes de sirenas o sirenios; personas que tienen algún poder especial y afinidad con el mar.

MOVIMENTO MARINO
Los mamíferos marinos, como los delfines, las ballenas y las focas, se mueven por el agua realizando un movimiento vertical. La criatura marina tiene una cola de mamífero por lo que se aleja del aspecto de pez.

CREA LA FORMA
Una forma larga y musculosa crea la apariencia de una criatura para la que el mar es su hogar.

Los peces se mueven realizando un movimiento lateral.

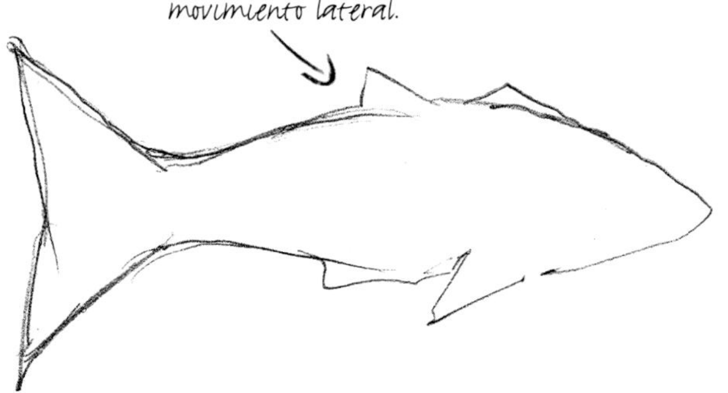

PÁRPADOS
Los peces no tienen párpados pero como la criatura marina es un híbrido entre mamífero y pez podría tener unos ojos con rasgos más humanos. Dependerá del diseño que tengas en mente, los párpados podrían llevarte a un terreno demasiado mamífero.

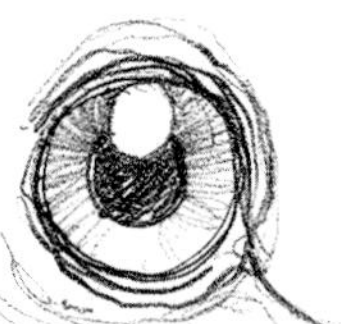

BRILLO PLATEADO

Ésta es una técnica sencilla para crear el efecto de piel de tiburón plateada en la criatura marina.

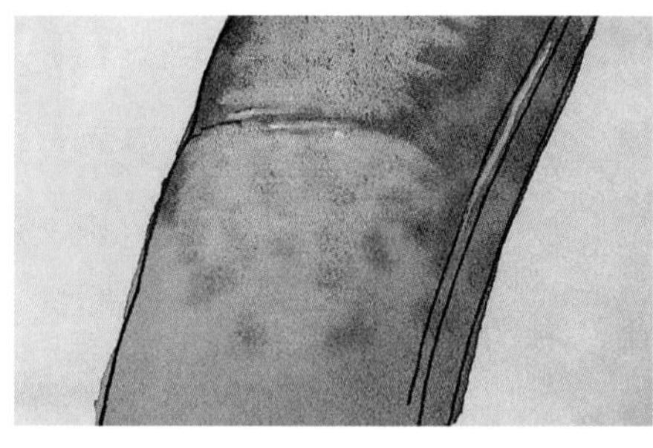

1 Para los colores base se han utilizado tintas acrílicas transparentes y resistentes al agua. Después de haber aplicado estos colores y de haber realizado el diseño de la piel, deja que se sequen completamente y colorea las zonas más claras con un lápiz pastel. En este caso, se ha utilizado el blanco, pero cualquier color pálido servirá.

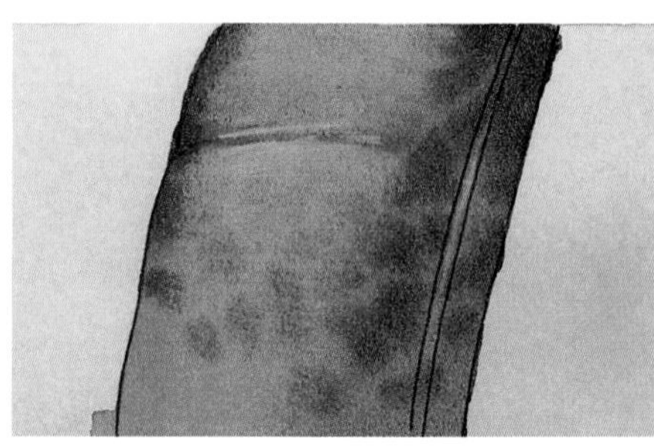

2 Cuando apliques el lápiz pastel se verá como granulado así que difumínalo un poco con el dedo limpio para suavizar el color nuevo sobre el granulado del papel.

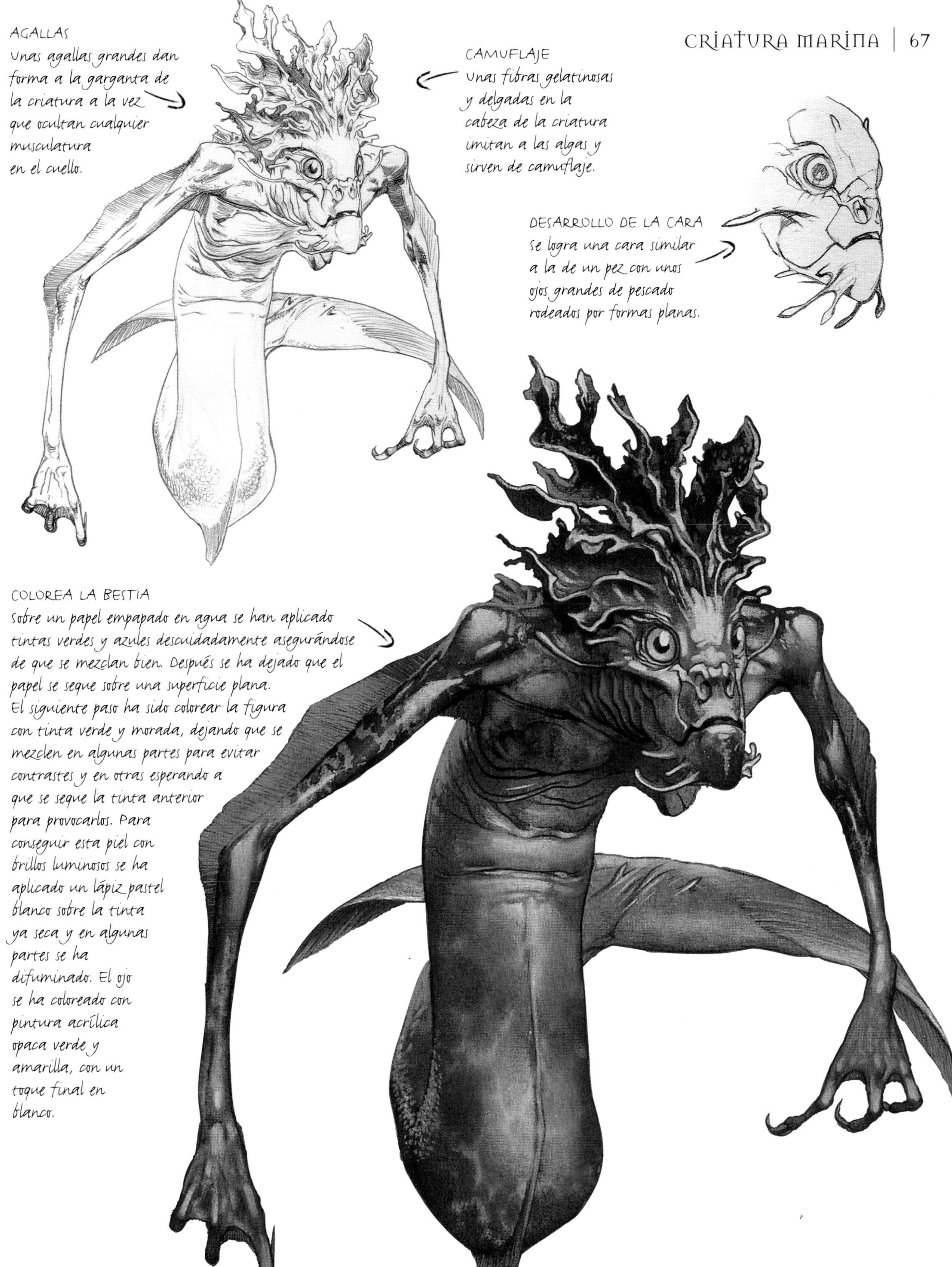
AGALLAS
Unas agallas grandes dan forma a la garganta de la criatura a la vez que ocultan cualquier musculatura en el cuello.
CAMUFLAJE
Unas fibras gelatinosas y delgadas en la cabeza de la criatura imitan a las algas y sirven de camuflaje.
DESARROLLO DE LA CARA
Se logra una cara similar a la de un pez con unos ojos grandes de pescado rodeados por formas planas.
COLOREA LA BESTIA
Sobre un papel empapado en agua se han aplicado tintas verdes y azules descuidadamente asegurándose de que se mezclan bien. Después se ha dejado que el papel se seque sobre una superficie plana. El siguiente paso ha sido colorear la figura con tinta verde y morada, dejando que se mezclen en algunas partes para evitar contrastes y en otras esperando a que se seque la tinta anterior para provocarlos. Para conseguir esta piel con brillos luminosos se ha aplicado un lápiz pastel blanco sobre la tinta ya seca y en algunas partes se ha difuminado. El ojo se ha coloreado con pintura acrílica opaca verde y amarilla, con un toque final en blanco.

Bocetos de personajes: Pez víbora gigante

El pez víbora es un depredador rápido y poderoso. Esta bestia solitaria normalmente caza en el fondo del océano, aunque a veces se aventura cerca de la costa si está escaso de comida.

El pez víbora puede llegar a alcanzar los 4 metros de longitud y un peso de 20 kg., pero a pesar de su tamaño, pocas personas lo han visto, suele aparecer como surgido de la nada y no deja rastro ni de su victima ni de él mismo.

A la hora de escoger los colores para el dibujo, piensa en azules y en verdes. Tampoco olvides que los objetos que están lejos pierden viveza. Utiliza este efecto para representar a un pez víbora de gran longitud.

LA CARACTERÍSTICA QUE LO DEFINE
El pez víbora debe su nombre a los enormes dientes que sobresalen de su mandíbula. Tiene dos dientes enormes en la mandíbula superior y otros dos en la inferior, por lo que recuerda a los colmillos de una víbora.

DETALLE DEL OJO
El pez víbora gigante tiene unos ojos grandes que le permiten tener buena visibilidad en las aguas turbias y oscuras del océano.

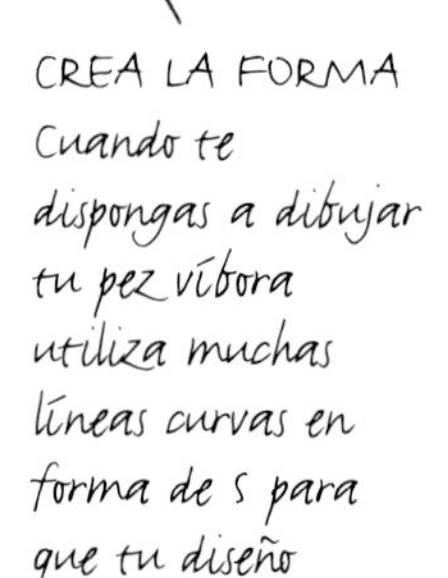

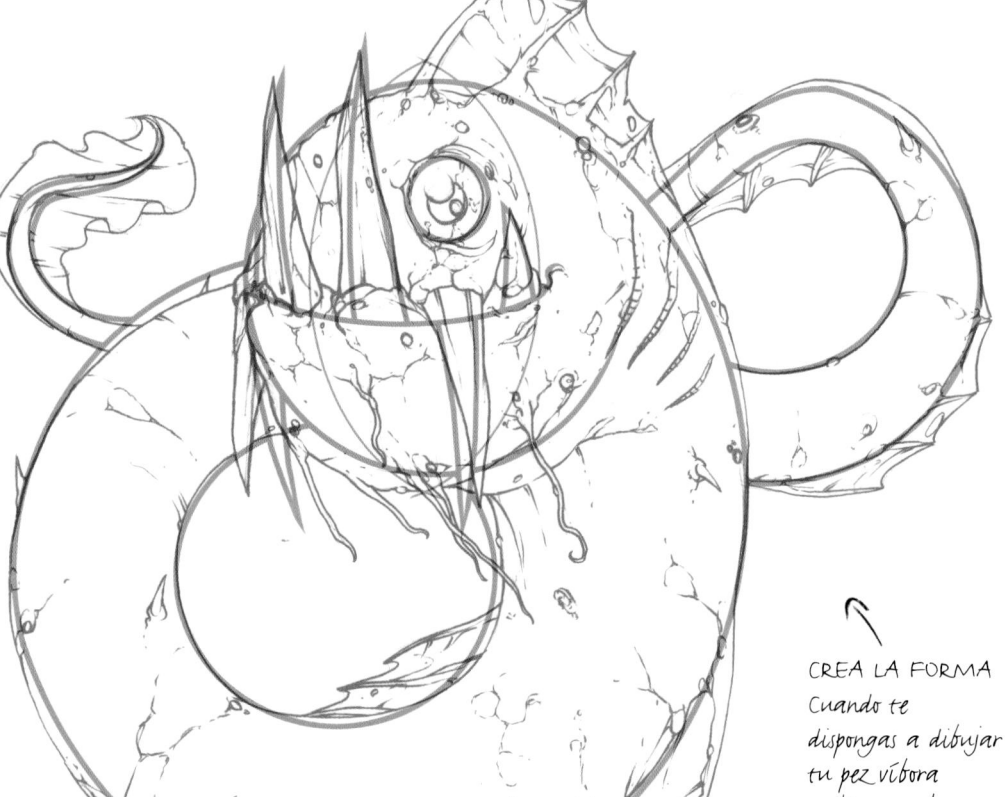

CREA LA FORMA
Cuando te dispongas a dibujar tu pez víbora utiliza muchas líneas curvas en forma de S para que tu diseño tenga profundidad.

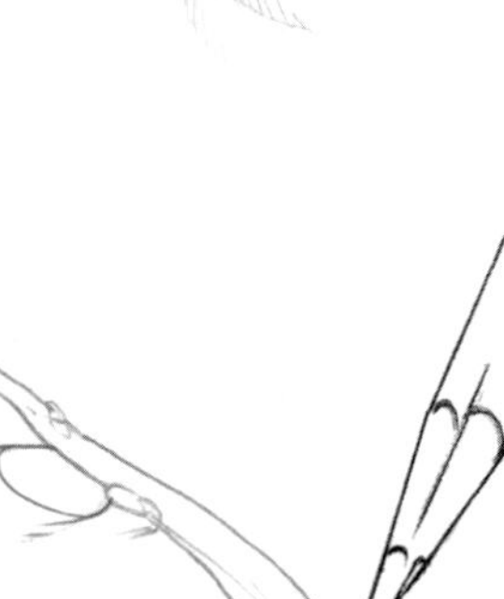

MÁS DETALLES
Unas aletas de un tamaño considerable le permiten nadar a velocidades que pueden sobrepasar los 97 km/h.

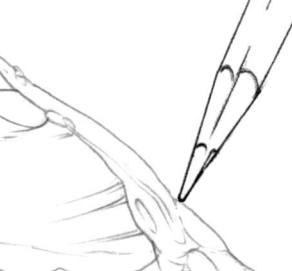

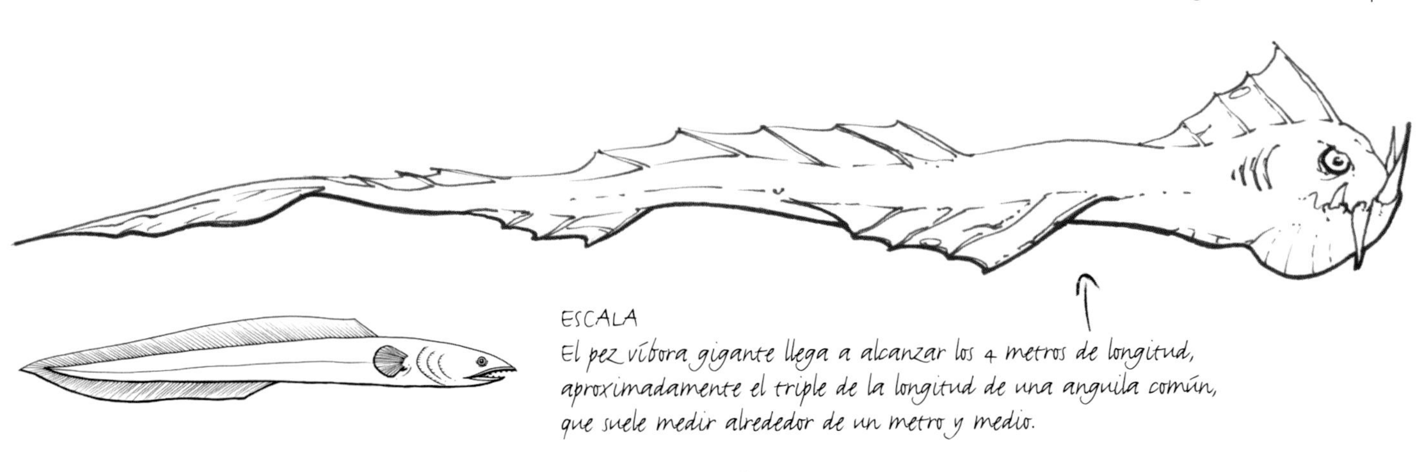

ESCALA

El pez víbora gigante llega a alcanzar los 4 metros de longitud, aproximadamente el triple de la longitud de una anguila común, que suele medir alrededor de un metro y medio.

COLOREA

Esta bestia se ha dibujado a mano y se ha coloreado digitalmente, utilizando múltiples capas en el programa Photoshop. Se empezó por dos colores básicos; el verde y el rojo, para después ir añadiendo pequeñas variaciones. Por ejemplo, utiliza tonalidades de azul para la piel verde y morado para las sombras, deja el amarillo para los destellos. Estos cambios de color son muy sutiles, pero logran dar una impresión más realista.

Bestias del desierto

Inspírate

Puede que el desierto parezca un lugar monótono e insípido a simple vista, pero si profundizas un poco descubrirás un tesoro de criaturas e historias en las que puedes inspirarte. Piensa en el tipo de criaturas capaces de sobrevivir en un clima así.

1 Los camellos o "barcos del desierto" han evolucionado fisiológicamente para soportar el calor y la deshidratación.

2 Cuando te imagines a tus bestias fantásticas empieza por fijarte en la fisiología de criaturas reales.

3 Practica dibujando cráneos y huesos en el museo de historia natural que tengas más próximo. Así te familiarizarás con las formas básicas enseguida.

4 El lagarto de Moloch es un animal que existe en la realidad, pero de un aspecto totalmente sobrenatural. Tiene todo el cuerpo cubierto de unas espinas que parecen cuernos, lo que le ha hecho tener el sobrenombre de diablillo espinoso.

5 Los escorpiones son unas criaturas muy peligrosas, pero el hecho de que tengan un cuerpo fragmentado les hace ser buenos modelos para dibujar.

3
4
5

Bocetos de personajes: Minotauro

El Minotauro, igual que otras muchas criaturas fantásticas, tiene sus orígenes en la mitología griega. Este monstruo fue la descendencia de la reina Pasifae, esposa del rey Minos de Creta, y de un precioso toro blanco del que los dioses hicieron que se quedara prendada, como castigo por haberse negado su marido a sacrificarlo para Poseidón. El rey Minos tenía al Minotauro atrapado en un laberinto y la alimentaba sacrificando humanos hasta que el héroe Teseo acabó con su vida.

Aunque el minotauro es un híbrido de humano y toro, esta representación es menos humana que la bestia mítica original. Su aspecto humanoide proviene de sus antiguos genes protohumanos que podrían ser neandertales o incluso anteriores. Se trata de unos genes recesivos por lo que los minotauros son una especie maldita, las características humanoides han ido desapareciendo generación tras generación ya que los rasgos bovinos son los predominantes.

Archivo de datos fisiológicos

Tamaño:	**Hasta los 2,4 m.**
Peso:	**120 kg.**
Piel:	**Marrón dorada cubierta por un pelaje duro y áspero. El tono del pelaje puede ir del negro al castaño claro, dependiendo de las características familiares.**
Ojos:	**Del color avellana al marrón oscuro.**
Señales:	**Arañazos en las cortezas de los árboles y en los postes de madera. Marcas que ha hecho con los cuernos para marcar su territorio.**

CREA LA FORMA
Su postura arqueada da la idea de un paso pesado, renqueante, como el de un toro.

COMPARACIÓN DE BOCETOS
Aunque todos los rasgos del toro son importantes, existen tantos tipos de cuernos como de ganado, así que no te quedes con el primero que se te ocurra. Piensa que los cuernos son los rasgos que más influyen en la percepción de la personalidad.

DIBUJA LAS MANOS
Cuando dibujes manos, toma las tuyas como punto de partida.

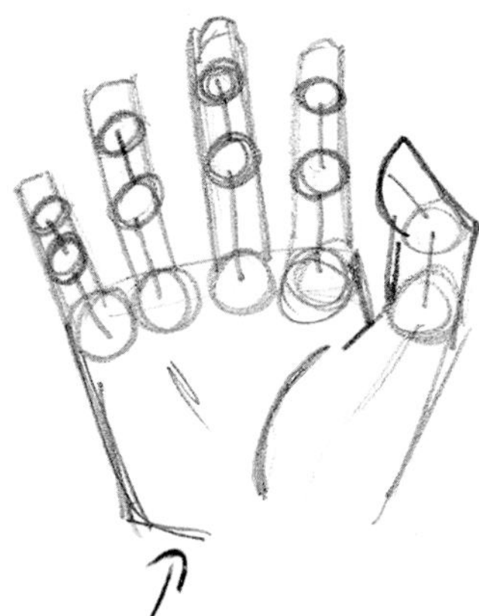

Modificando esta estructura base se puede llegar hasta el diseño que tenemos en mente.

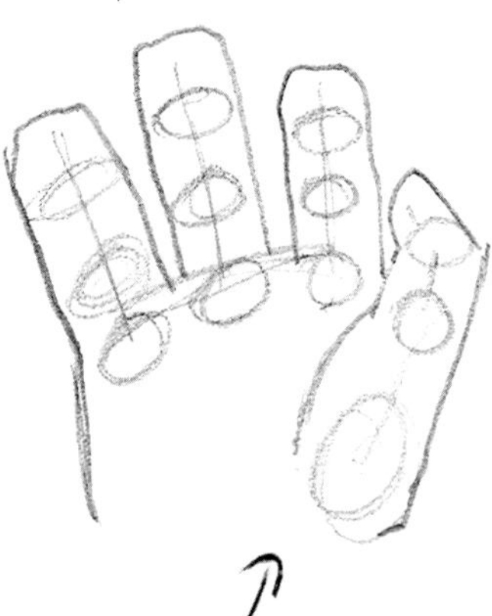

Los personajes fuertes tienen unos dedos grandes y gruesos, pero te quedas sin sitio para el dedo meñique.

CREA UNA MANO DETALLADA

Las arrugas en las manos son señal de elasticidad y flexibilidad. Pocas arrugas denotan mayor flexibilidad: una piel elástica como la de una rana o un tritón. Te recomiendo que consultes material fotográfico para los detalles y las texturas de la piel, aunque, para empezar, puedes fijarte en tus propias arrugas de las manos o la cara.

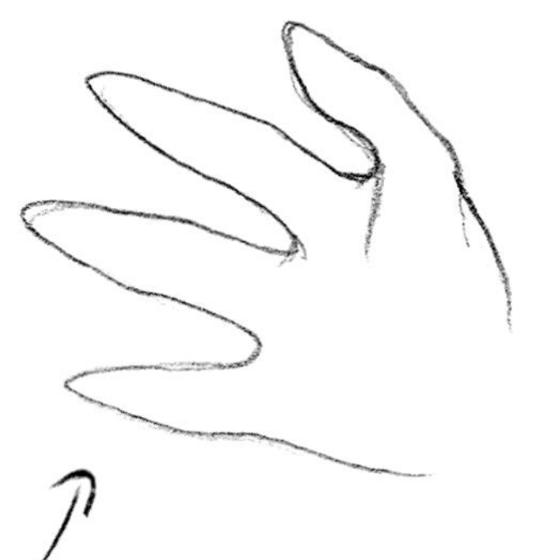

Una mano sin detalles en la piel, al igual que cualquier otra parte de una bestia, parecerá que esté hecha de goma.

La misma mano, pero con algunas arrugas. La piel parece hinchada y abultada porque no se han ajustado las proporciones. Las formas blandas y con grasa indican que se trata de una piel muy bien hidratada.

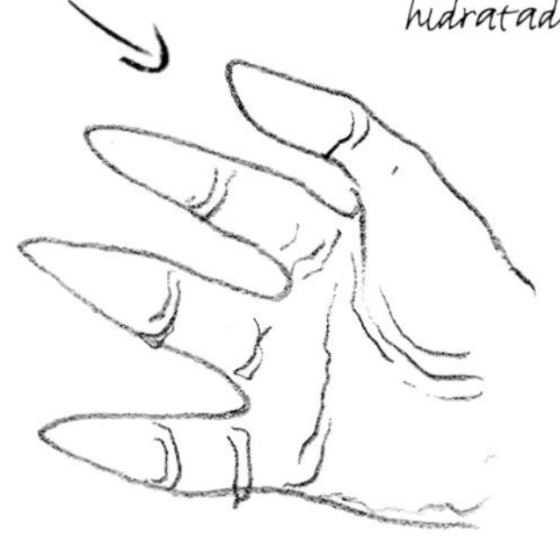

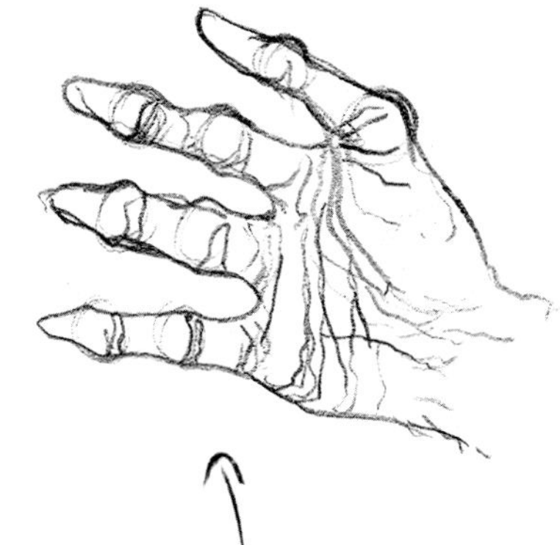

Cuando una criatura envejece puede perder hidratación y tejido adiposo, especialmente en la zona de las articulaciones. Cuando dibujes una criatura envejecida, deshidratada o hambrienta dibújale las articulaciones principales bien exageradas. Las arrugas tienen que verse profundas ya que son más evidentes en la piel seca.

EL DIBUJO DEL PROFESIONAL ▶

ILUMINACIÓN

Antes de empezar tu dibujo tienes que establecer la dirección de la luz. Practica con unas figuras simples.

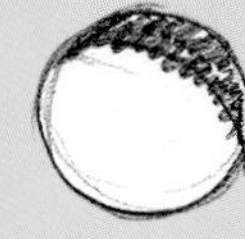

Luz baja y hacia delante.

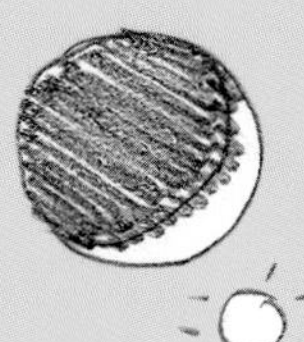

Luz baja y hacia atrás.

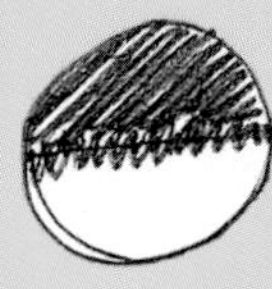

Luz baja recta situada justo debajo de la figura.

Estas esferas sombreadas muestran cómo una fuente de luz, que aparentemente está en la misma posición, puede aparentar estar en una posición diferente sólo con añadirle la sombra.

SOMBREA LA CABEZA

Los mismos principios son aplicables a figuras más complejas, como por ejemplo la cabeza del minotauro. Estas sombras se han exagerado para que se aprecie bien la diferencia, pero una regla básica de las vistas en miniatura es que cuánto más fuerte sea el contraste claroscuro, más brillante es la fuente de luz.

El dibujo del profesional

El artista ha realizado el dibujo a partir de los bocetos preliminares sobre una caja de luz. Para ello ha utilizado un lápiz policromo negro y un rotulador negro resistente al agua con punta de fibra. El color se ha añadido con finos baños transparentes de pintura acrílica y de lápiz policromo; el acrílico opaco sólo se ha utilizado para los brillos y para pulir bordes.

COLORES UTILIZADOS
ACRÍLICOS
AMARILLO OCRE
MORADO
AZUL ULTRAMAR
LÁPICES POLICROMOS
NEGRO
ROTULADORES CON PUNTA DE FIBRA
NEGRO

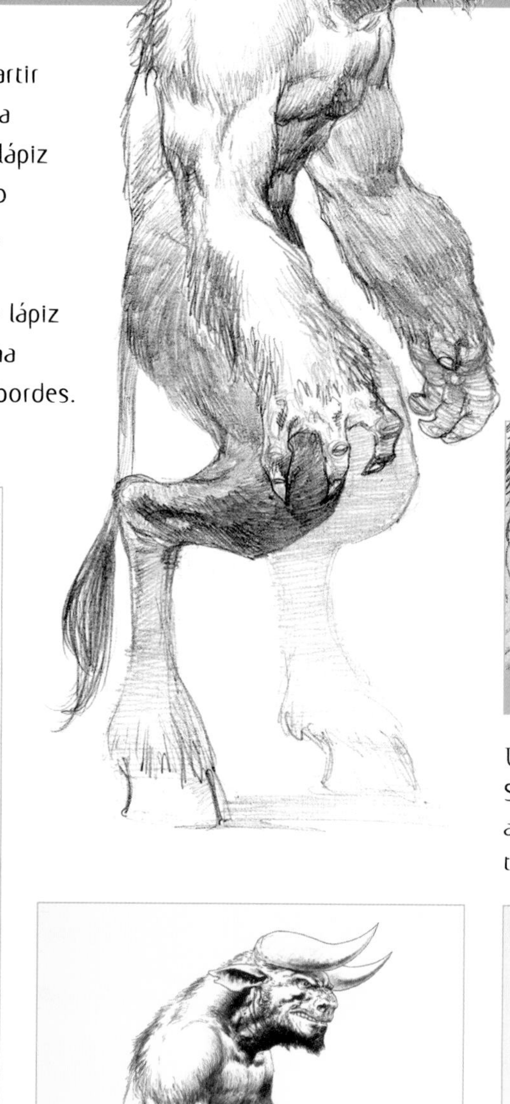

1

PREPARACIÓN

Aumenta el boceto a lápiz con la ayuda de una fotocopiadora; cálcalo después a papel de acuarela con un rotulador negro de punta fina, utilizando una caja de luz. El trazo con tinta sólo se ha utilizado de la cintura para arriba y para el brazo que está en primer término. Utiliza un lápiz policromo negro para el resto de las zonas, ya que éstas no necesitan una base tan detallada.

2

FONDO

Después de estirar el papel sobre un tablero y de dejar que se seque, vuelve a humedecerlo con unas pinceladas amplias de pintura acrílica amarillo ocre diluida a modo de fondo polvoriento.

3

UNA CAPA CÁLIDA EN MEDIO

Seca el fondo con un secador, después aplica un baño de amarillo ocre sobre toda la figura.

4

CREA EL PELAJE

Añade varias capas superpuestas de baños traslúcidos. Para ello utiliza diferentes mezclas de amarillo ocre y morado, oscurece las áreas sombreadas y trabaja con trazos poco definidos para conseguir el efecto del pelaje.

CONSTRUYE EL COLOR

Utiliza colores cada vez más intensos hasta conseguir el efecto deseado.

AÑADE BRILLOS A LA PIEL

Escoge algunas zonas, preferiblemente con poco pelo, y coloréalas con azul ultramar diluido. Así lograrás un tono verdoso que se diferenciará de las zonas con pelo.

DETALLES FINALES

Escoge unas zonas en las manos y en la cabeza para los brillos. Si aplicas azul ultramar diluido con un pincel pequeño a las partes más sobresalientes de la cara y de los cuernos recrearás un efecto reflectante propio de superficies duras o brillantes.

BOCETOS DE PERSONAJES: ESFINGE

Según la mitología griega la esfinge, fue una criatura con cabeza de mujer y cuerpo de león, era el monstruo alado particular de la ciudad de Tebas. Los dioses la enviaron como castigo y no permitía la entrada ni la salida de la ciudad. En Egipto existen muchas esfinges, generalmente con cabeza humana, pero a veces con cabezas de otros animales. La gran esfinge de Giza es la imagen más conocida de esta criatura. Esta estatua colosal es un símbolo nacional de Egipto y uno de los monumentos antiguos más conocidos en todo el mundo.

A la esfinge se le otorga el papel de guardiana. Aunque la civilización egipcia se extinguió hace mucho tiempo es muy probable que todavía existan esfinges en desiertos remotos, guardando los tesoros perdidos de alguna tumba faraónica y que lleven sepultadas miles de años bajo las arenas del desierto.

Su enorme cuerpo musculoso de león y sus vastas alas hacen de ella una criatura poderosa capaz de desplazarse por tierra o aire a enormes velocidades. Las esfinges son muy inteligentes y, a menudo, preguntan acertijos. Son criaturas orgullosas y arrogantes que hay que tomar muy en serio.

INFLUENCIA EGIPCIA

La esfinge normalmente lleva un tocado tradicional egipcio.

INFLUENCIA E INSPIRACIÓN

La esfinge tiene cuerpo de león, alas de águila y cabeza humana. Asegúrate de conocer cómo son las figuras que la componen antes de crear tu criatura.

MÁS DETALLES

Para las plumas, empieza dibujando figuras ovaladas y después añade un poco más de detalle con unas líneas en diagonal. Como se puede observar las plumas se superponen.

DIBUJA EL PELAJE

Para el pelaje del león, traza líneas en el mismo sentido pero con pequeñas variaciones de longitud y de ángulo para que no tenga un efecto tan uniforme.

CREA LA FORMA
Para dibujar la esfinge empieza con un sencillo boceto con las líneas básicas, después ve añadiendo los detalles poco a poco.
DIBUJA LOS OJOS
Maquilla los ojos al estilo egipcio: unas líneas sólidas de negro perfilan el óvalo del ojo para lograr este toque tan distintivo.
COLOREA LA BESTIA
Esta esfinge se ha coloreado con Photoshop. Rellena las diferentes zonas con colores en bloque, después crea la forma añadiendo sombras y brillos. Para las diferentes texturas del pelaje, piel y metal varía las pinceladas.
DIBUJA LAS GARRAS
Fíjate en que las dos garras de en medio sobresalen, como las de un león de verdad.
CAMINAR DE LEÓN
La esfinge camina con las alas plegadas hacia abajo. Un león camina acercando dos de sus patas a la vez que aleja las otras dos.

BOCETOS DE PERSONAJES: DRAGÓN DEL DESIERTO

El dragón del desierto se parece al dragón de Komodo, el lagarto más grande del planeta. En vez de escamas, este dragón tiene una piel prieta y arrugada, parecida a la de los rinocerontes o elefantes.

Aunque este dragón tenga alas, pesa demasiado como para desplazarse volando. Utiliza sus alas para dejarse caer en picada desde alguna colina rocosa para atrapar a sus presas. Vive en los cañones del desierto y en zonas montañosas; sus presas más comunes son las ovejas, las cabras y el ganado.

El dragón del desierto echa fuego por la boca, pero lo hace sólo en contadas ocasiones: a modo de defensa o en las noches de la época de celo, cuando los dragones hembra se encuentran en su mayor esplendor

CABEZAS
Para dibujar la cabeza de un dragón puedes utilizar un triángulo o un cono visto en perspectiva.

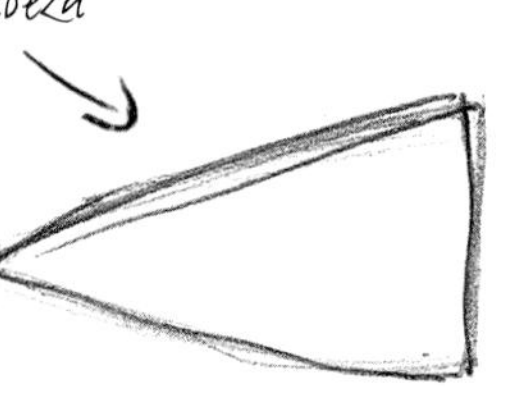

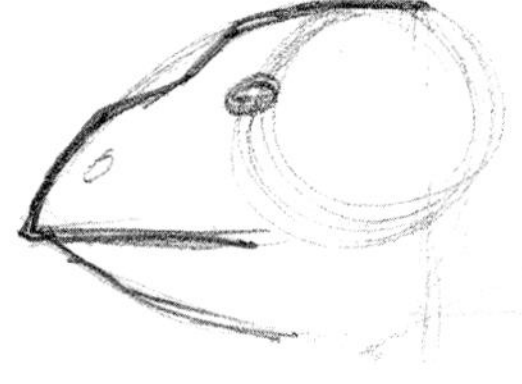

El cráneo sigue los mismos principios de dibujo que cualquier otra criatura. Utiliza un círculo para situar el cerebro. Para la mandíbula, así como para otros rasgos de dragones, inspírate en los dinosaurios.

Tienen la cabeza acabada en punta para tener una figura aerodinámica. La misma teoría se aplica para los dragones acuáticos.

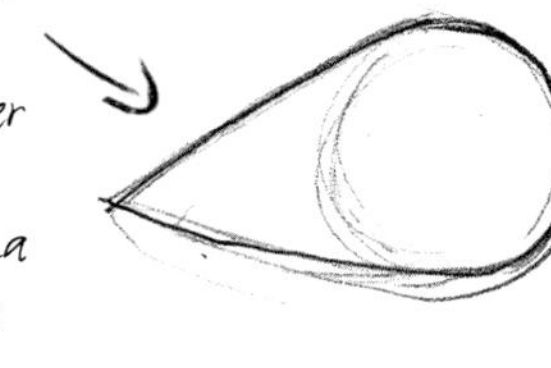

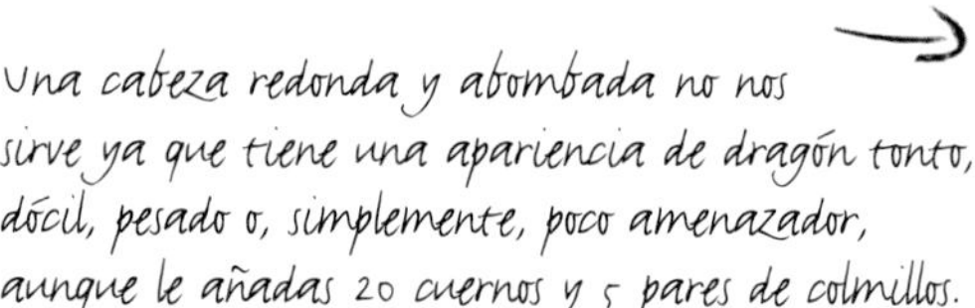

Una cabeza redonda y abombada no nos sirve ya que tiene una apariencia de dragón tonto, dócil, pesado o, simplemente, poco amenazador, aunque le añadas 20 cuernos y 5 pares de colmillos.

Una cabeza afilada hace que el dragón parezca elegante, astuto y amenazante.

LAS LLAMAS

El color no lo es todo a la hora de transmitir la agresividad y la fuerza de las llamas, las formas también son importantes. Unas formas alargadas y estiradas representan unas llamas mucho más feroces que las que puedan representar unas formas redondas y rizadas.

EL FUEGO

Si quieres que tu dragón eche fuego por la boca aquí tienes unas técnicas muy útiles.

HÚMEDO SOBRE HÚMEDO

Los colores se aplican en capas para ir creando formas. Empieza por los rojos (medios tonos) y luego añade amarillo limón aplicando el tono más claro en el punto de origen de las llamas (la boca del dragón, por ejemplo). Para terminar, escoge algunas zonas para colorearlas en morado. Las pinturas acrílicas y las tintas resistentes al agua son más recomendables que las acuarelas, porque con éstas tendrías que empezar aplicando los tonos más brillantes, los amarillos.

IMPASTO

Aquí hemos aplicado pintura densa siguiendo la técnica del *impasto* y confiando en la buena unión de dos o más colores para lograr este efecto. Puedes utilizar acrílico, *gouache* o incluso pintura al óleo, pero la pintura tiene que permanecer húmeda todo el tiempo, así que si utilizas pintura acrílica o *gouache* tendrás que ser bastante rápido.

CONSTRUCCIÓN DEL DRAGÓN
Para realizar este dragón sigue los principios básicos que te indicamos en la página 40.

Técnica de pluma y tinta

La pluma y la tinta son una técnica excelente para dibujar dragones ya que te permite un nivel muy alto de detalles y de variación de líneas. En este caso hemos utilizado una pluma de punta fina en sepia para que no se vea tan brusco como el negro. Para elaborar la forma y la textura añade más marcas a las zonas sombreadas, como por ejemplo las sombras que crea la textura de la superficie, y algunas menos, o prácticamente ninguna, para las zonas más claras.

1 Dibuja las arrugas y los pliegues con plumas con punta fina. Puedes variar el grosor de las líneas variando el ángulo en el que sostienes la pluma. Cuánto más inclines la pluma, más finos serán los trazos. Añadir algunos puntos y líneas te servirán para que la piel parezca tener mucha textura.

2 Para los tonos intermedios, utiliza una pluma de punta media, pero en vez de dibujar unas líneas uniformes haz que tus líneas sigan las curvas del dragón. En esta etapa del proceso es mejor no superponer líneas.

3 En las zonas más oscuras sigue las formas de las líneas curvas de la superficie, pero teniendo en cuenta las líneas curvas del paso 2. Puedes dibujar las líneas más pegadas unas a otras en las zonas más oscuras.

BOCETO FINAL

Este dibujo se empezó a lápiz pero se terminó con pluma y tinta. Se ha utilizado un lápiz blando para las sombras de mediotono y para establecer las formas principales.

COLOREA EL DRAGÓN

El dragón se ha coloreado con baños finos de acrílico, aplicando primero los tonos claros y después los oscuros. Los colores iniciales fueron marrones mezclados con amarillo ocre y morado. Se fue añadiendo cada vez más morado para lograr las tonalidades más oscuras. Después, se aplicó una línea fina de azul ultramar en la espina dorsal y en los últimos pasos se utilizó un blanco acrílico opaco para suavizar los bordes y añadir brillos.

BOCETOS DE PERSONAJES: CAMINANTE DE LAS DUNAS

En las noches más oscuras y frías las tribus beduinas se reúnen alrededor del fuego para hablar entre susurros de las extrañas y horripilantes criaturas que les acechan en las dunas. El Caminante de las dunas es una de las más temidas, el monstruo protagonista de las pesadillas más espeluznantes.

A veces estos pueblos nómadas del desierto se despiertan para encontrarse con que sus camellos, que habían amarrado cuidadosamente la noche anterior, han desaparecido. Tan sólo las débiles marcas de unas huellas semejantes a las de un cangrejo proporciona la prueba irrefutable de que sus bestias de carga han sido pasto de la bestia depredadora más temida del desierto. Los rumores cuentan cómo estas criaturas son capaces de enterrarse bajo las dunas, desplazándose sigilosamente por la arena para después abalanzarse sobre una de sus víctimas con su cola venenosa, sus terribles garras y su afaladísimo pico en un ataque feroz.

Para representar a bestias fantásticas como ésta, te será muy útil ojear obras de consulta sobre animales reales. Recurriendo a imágenes de criaturas que habitan en el desierto, esta bestia combina elementos de cangrejos, de escorpiones y de aves rapaces.

INFLUENCIAS DE LA VIDA REAL
Basándonos en la cola de un escorpión, este boceto muestra el aguijón letal que le permite picar a sus víctimas a la vez que les inyecta un veneno paralizador.

CARÁCTER ÁSPERO
Un dibujo rápido realizado con rotuladores de punta gruesa establece las características fundamentales del monstruo, no hace falta que te esmeres mucho. Tendrás que realizar muchos bocetos rápidos como éste para crear la figura del monstruo.

DIBUJA LAS PATAS
Para las patas del monstruo se han utilizado unas formas geométricas sencillas.

TEXTURA DE LAS PATAS
El artista utiliza un lápiz para trabajar las formas geométricas que ha dibujado anteriormente y explora las texturas que puede darles a las patas recubiertas a modo de armazón.

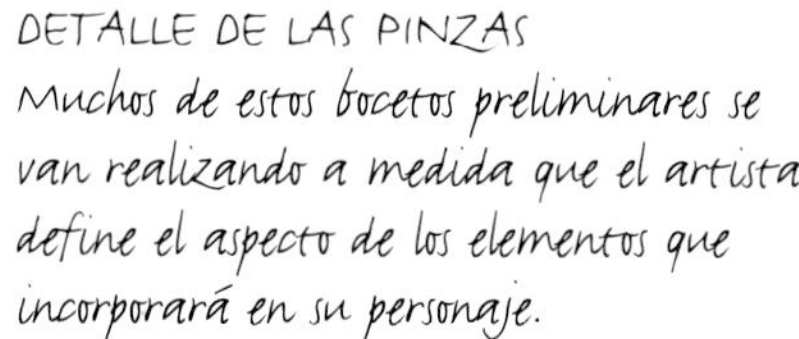

DETALLE DE LAS PINZAS
Muchos de estos bocetos preliminares se van realizando a medida que el artista define el aspecto de los elementos que incorporará en su personaje.

DALES FORMA
Aquí se ha utilizado la renderización para delinear las formas y texturas de las patas de la criatura.

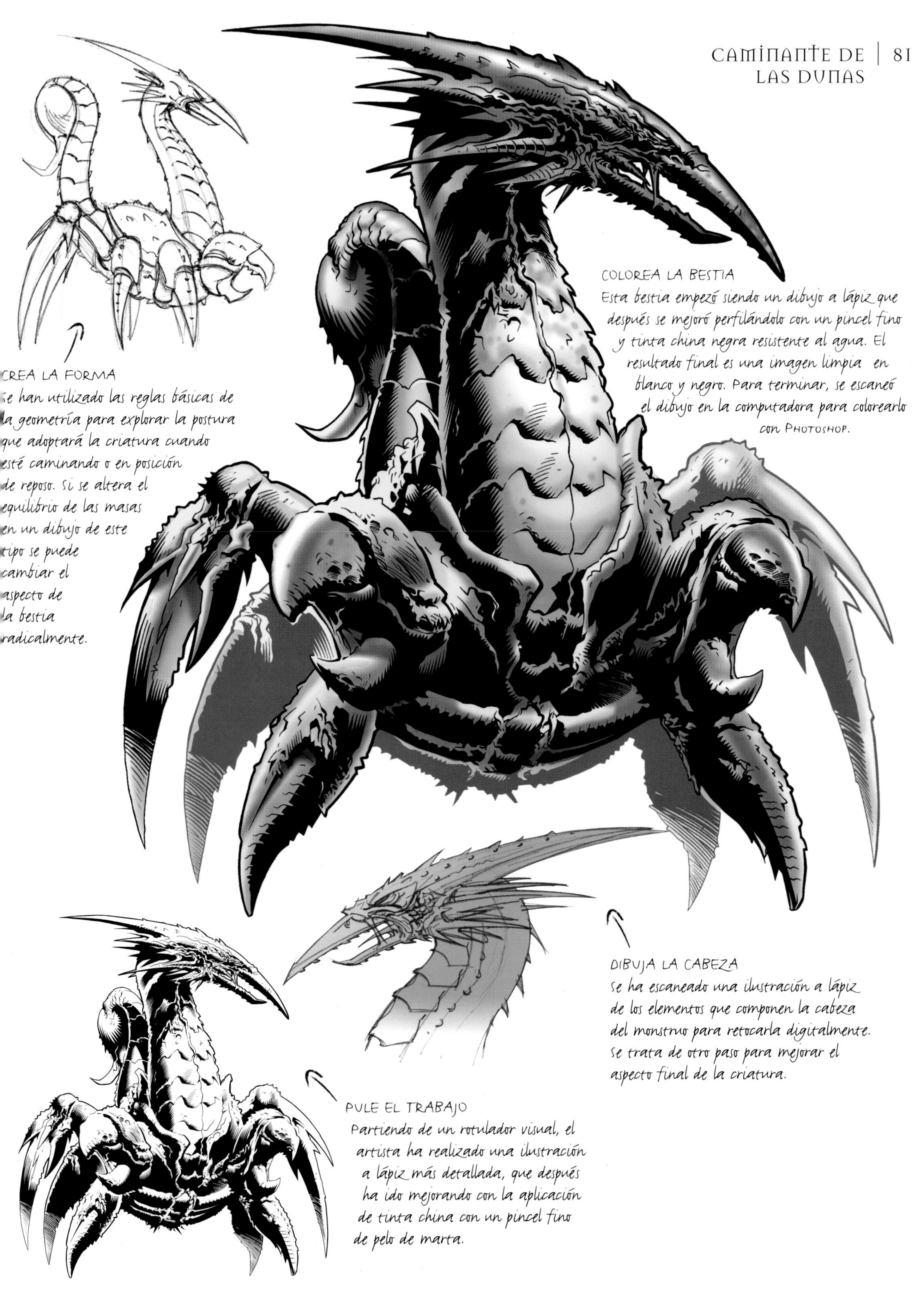

CREA LA FORMA
Se han utilizado las reglas básicas de la geometría para explorar la postura que adoptará la criatura cuando esté caminando o en posición de reposo. Si se altera el equilibrio de las masas en un dibujo de este tipo se puede cambiar el aspecto de la bestia radicalmente.

COLOREA LA BESTIA
Esta bestia empezó siendo un dibujo a lápiz que después se mejoró perfilándolo con un pincel fino y tinta china negra resistente al agua. El resultado final es una imagen limpia en blanco y negro. Para terminar, se escaneó el dibujo en la computadora para colorearlo con PHOTOSHOP.

DIBUJA LA CABEZA
Se ha escaneado una ilustración a lápiz de los elementos que componen la cabeza del monstruo para retocarla digitalmente. Se trata de otro paso para mejorar el aspecto final de la criatura.

PULE EL TRABAJO
Partiendo de un rotulador visual, el artista ha realizado una ilustración a lápiz más detallada, que después ha ido mejorando con la aplicación de tinta china con un pincel fino de pelo de marta.

Bocetos de personajes: Espíritu del desierto

El Espíritu del desierto está compuesto en su totalidad por arena, que puede endurecer o ablandar según le convenga, adoptando así cualquier forma que se le antoje. La mayoría de las veces, el Espíritu no es más que una huella en la arena, imposible de distinguir en su entorno. Cuando se enfada o encoleriza, se alza del suelo del desierto y adopta su forma humanoide.

El Espíritu se desplaza como una ola en el mar, deslizándose de un lado a otro. Esto puede hacerlo a una velocidad escalofriante, por lo que si fuera necesario podría llegar a desplazarse a velocidades superiores a los 100 km/h. Sin embargo, uno de sus inconvenientes es que, debido a que está formado por arena, sólo puede existir en el desierto.

Su temperatura interna es bastante elevada (80-90°C). Esto hace que tenga unos ojos brillantes e inquietantes, significaría la muerte segura para cualquier ser vivo que pudiera ingerir, ya sea llevándoselo a la boca o enterrándolo en la arena. Si alguna caravana humana tuviera la mala fortuna de cruzarse en su camino, una terrible marea de arena los engulliría y nadie los volvería a ver jamás. Posee un sentido del tacto especialmente desarrollado ya que cada grano de arena que lo compone actúa como una terminación nerviosa.

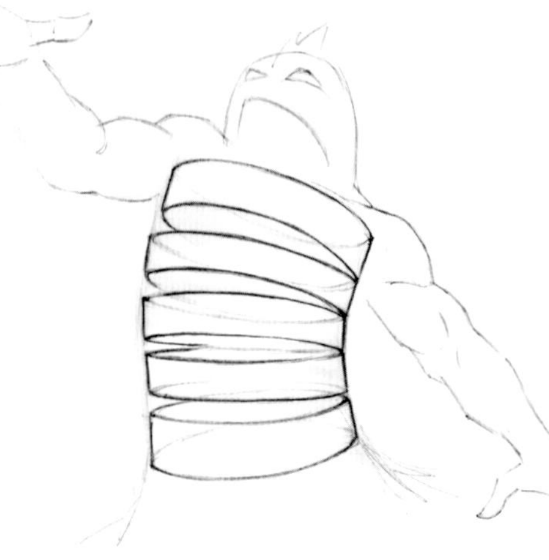

CREA LA FORMA
Para crear un cuerpo alargado y curvado puedes utilizar varios cilindros cortos, tal como se ha hecho en este ejemplo. Si los juntas y los colocas en ángulos diferentes se consigue el efecto de un cuerpo muy sólido pero a la vez curvado.

Creando arena

Hay diferentes maneras de conseguir una textura suave y arenosa. Aquí tienes 4 ejemplos.

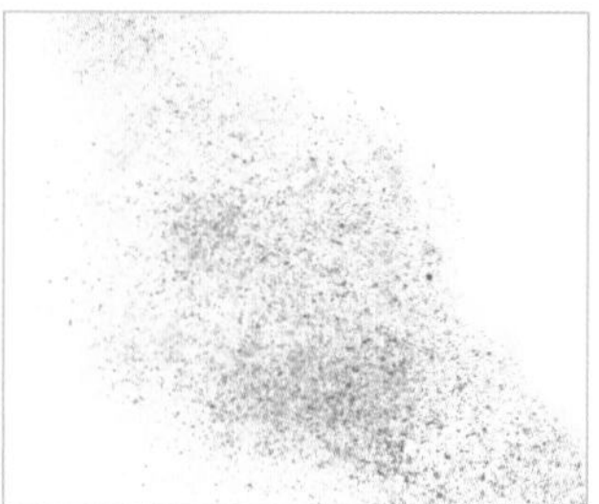

1 Con un cepillo de dientes empapado en tinta salpica sobre el papel.

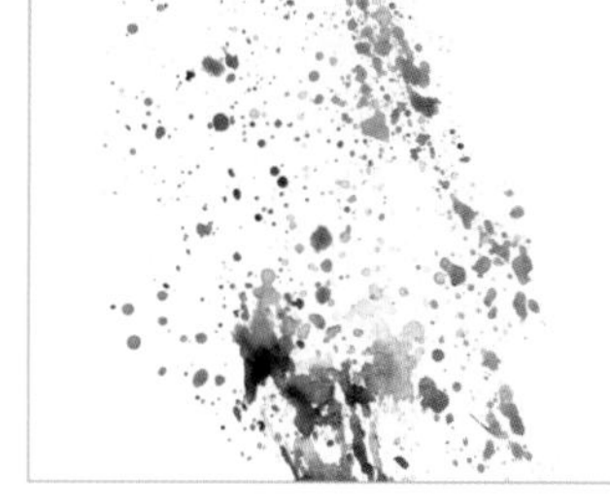

2 Con un pincel grande empapado en pintura diluida salpica sobre una zona más grande, el punteado será más irregular

3 Golpea la punta de un pincel de cerdas duro sobre el papel para crear una textura suave.

4 Aplica un poco de pintura sin diluir en un pincel seco para crear trazos cortados de color. Desliza el pincel suavemente sobre la superficie.

ESCALA
Para que tu criatura parezca grande colócala al lado de algún objeto conocido, como un árbol o una casa, para que se aprecie la diferente escala. Fíjate en estos dos bocetos. En el primero, la bestia podría ser de cualquier tamaño, pero en el segundo se ha logrado representar claramente a un gigante amenazador.

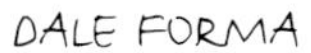

DALE FORMA

Cuando el Espíritu se aparece en su forma humana puede elevarse a cientos de metros, utilizando toda la arena que desee de alrededor para crearse un cuerpo temporal. Este dibujo se ha coloreado con pintura acrílica sobre un tablero de ilustración, tomando como base el dibujo detallado en escala de grises del tablero.

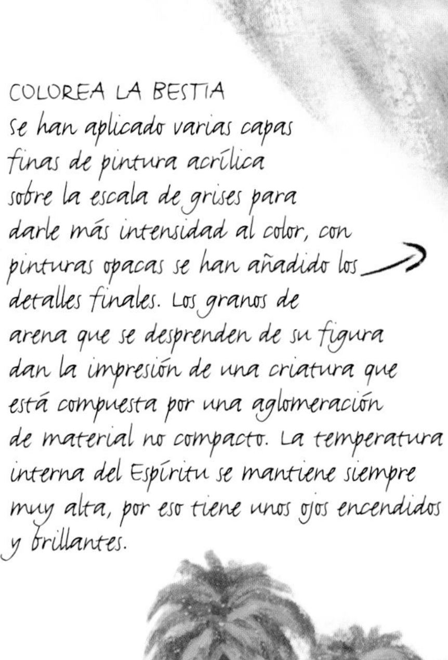

COLOREA LA BESTIA

Se han aplicado varias capas finas de pintura acrílica sobre la escala de grises para darle más intensidad al color, con pinturas opacas se han añadido los detalles finales. Los granos de arena que se desprenden de su figura dan la impresión de una criatura que está compuesta por una aglomeración de material no compacto. La temperatura interna del Espíritu se mantiene siempre muy alta, por eso tiene unos ojos encendidos y brillantes.

Bestias del pantano

Inspírate

Los pantanos son un sofocante caldo de cultivo para todo tipo de criaturas. Acércate a un museo de historia natural o a un invernadero de un jardín botánico para hacerte una idea de los habitantes de este entorno.

1 Los anfibios pasan parte de su tiempo bajo el agua, respirando a través de sus agallas, y el tiempo restante sobre la tierra, respirando con sus pulmones. Son animales de sangre fría por lo que la temperatura de su cuerpo depende del entorno en el que estén.

2 Las serpientes son unos reptiles de sangre fría, que tienen escamas y ponen huevos. Son una buena fuente de inspiración para criaturas que se arrastran y se deslizan porque carecen de extremidades.

3 Los gaviales se diferencian de los cocodrilos por tener un hocico largo y estrecho; el equipo perfecto para atrapar peces y ranas bajo el agua. Sus patas traseras se asemejan a unas palas, y son unos animales que pocas veces abandonan el agua, excepto para anidar. Los gaviales están provistos de muchas características naturales perfectamente adaptadas a su medio.

4 Los parques zoológicos y acuarios también son lugares excelentes para observar de cerca rasgos de animales reales, como por ejemplo, garras.

1

2

3
4

BOCETOS DE PERSONAJES: GUSANO GIGANTE

El gusano gigante, al igual que sus primos menores, se alimenta de materia muerta o en descomposición. Se encuentra muy a gusto en zonas contaminadas, su aparición es la primera prueba de que se está en un entorno en malas condiciones. La esperanza de vida de un gusano gigante se mide en términos geológicos, con algunos especímenes depredadores de humanos. Es muy común encontrar rastros de gusanos gigantes cerca de fosas comunes, especialmente si se trata de fósiles, evidencia de las grandes extinciones, como por ejemplo la de los dinosaurios.

Este gusano mutante está relacionado genéticamente con la oruga, por lo que comparte buena parte de su anatomía, incluidos los cuernos de seda. Sin embargo, el gusano gigante no los utiliza para formar un capullo en la etapa de crisálida y metamorfosearse en mariposa o polilla. El gusano gigante utiliza sus cuernos de seda para tener un capullo donde hibernar, y atrapar y mantener sus presas a buen recaudo.

ARCHIVO DE DATOS FISIOLÓGICOS

Tamaño:	**11,5 m de longitud.**
Peso:	**Hasta los 408 kg.**
Piel:	**Rosa pálido y luminoso con las extremidades verdes.**
Ojos:	**Negros.**
Señales:	**Maleza aplastada y plana; devastación.**

COMPARACIÓN DE DIFERENTES BOCETOS PARA INSPIRARTE

Una lombriz de tierra de verdad puede darte buenas ideas sobre su movimiento, pero como su aspecto es bastante torpe es mejor que también consultes cómo se mueven otro tipo de invertebrados, como las sanguijuelas o las orugas.

La oruga de polilla es más interesante, esta postura de la oruga echándose hacia atrás como si fuera a coger algunas hojas que están en alto es una referencia muy buena.

ALIMENTO

El gusano gigante tiene la garganta cerrada por una boca con muchas partes a modo de bisagra. Los apéndices de la boca funcionan más que como dientes como garras afiladas, introduciendo en su boca las materias en descomposición.

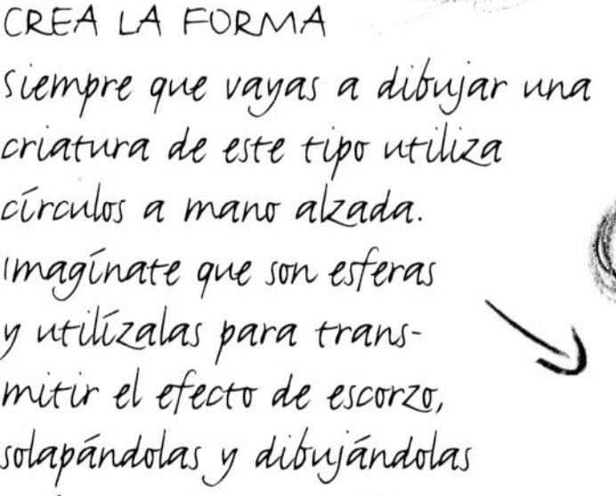

CREA LA FORMA

Siempre que vayas a dibujar una criatura de este tipo utiliza círculos a mano alzada. Imagínate que son esferas y utilízalas para transmitir el efecto de escorzo, solapándolas y dibujándolas más pequeñas a medida que se alejan del espectador.

COMBINACIÓN DE COLORES

Cuando vayas a escoger una combinación de colores piensa en el motivo por el que esa criatura es de ese color. En la naturaleza, el color suele significar dos cosas: camuflaje o peligro. Sin embargo, el gusano gigante no está indefenso, por lo que, al contrario que en la vida real, puedes tener un poco más de carta blanca. Aún así, piensa que el color tiene que decirnos algo sobre las costumbres de la criatura y el entorno donde vive. La combinación de colores que hemos escogido para el dibujo de la página siguiente intenta reflejar la enfermedad y el deterioro.

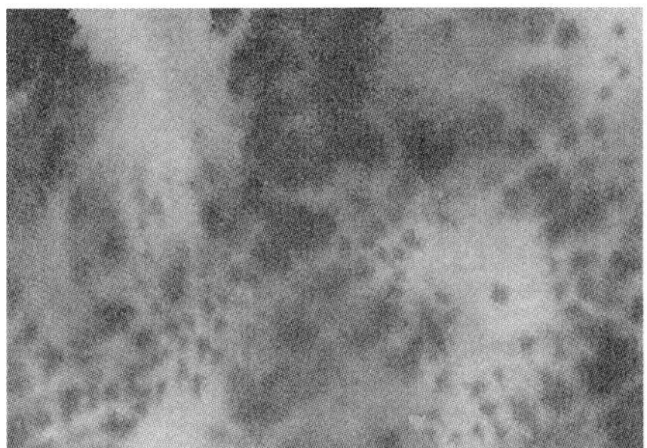

CAMUFLAJE

Este diseño integraría completamente a una criatura en su entorno, escondiéndola de cualquier posible depredador.

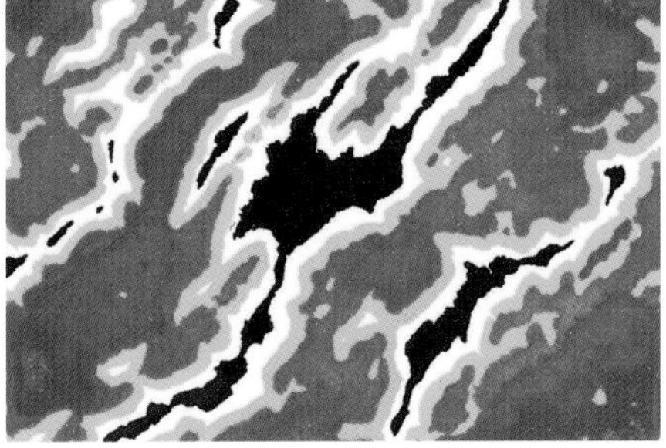

AVISO

Este otro diseño está pensado para disuadir los ataques de un depredador. En estos casos, la criatura es muy venenosa o quiere aparentar serlo.

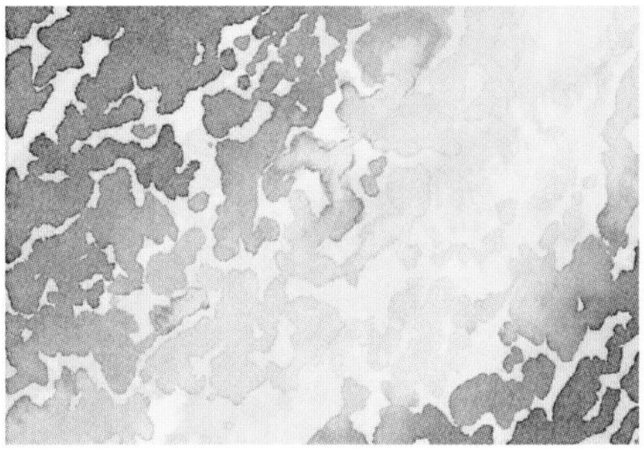

PIEL EN MALAS CONDICIONES

La combinación de colores para este tipo de piel, que es la que se ha utilizado en el dibujo final, representa a una criatura que habita en un entorno sombrío.

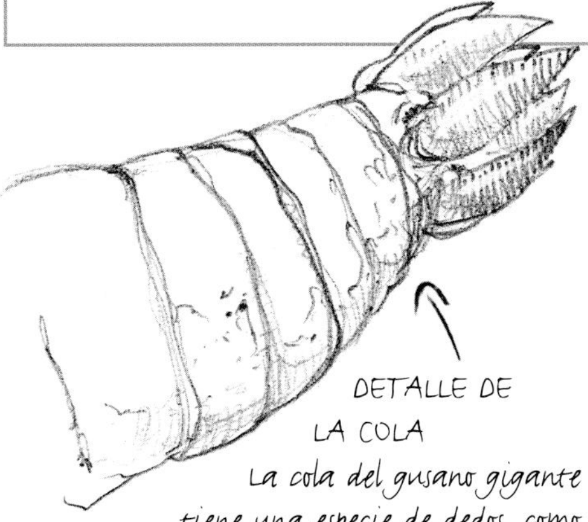

DETALLE DE LA COLA

La cola del gusano gigante tiene una especie de dedos, como los que tiene en la boca, por ahí expulsa el material con el que construye su capullo, como si lo fuera tejiendo.

BOCETO FINAL

En esta etapa, la criatura deja entrever unos dientes dentro de su enorme boca. Mientras diseñábamos esta bestia decidimos que finalmente no tendría dientes para dar la impresión de que es capaz de digerir a sus presas enteras lentamente (como una serpiente de grandes dimensiones, una boa constrictor, por ejemplo) una manera de alimentarse mucho más macabra que el proceso de masticado o picado que sugieren los dientes.

EL DIBUJO DEL PROFESIONAL ▶

COLORES UTILIZADOS

ACRÍLICOS

BLANCO

AMARILLO OCRE

MORADO

AZUL ULTRAMAR

"BURNT UMBER"

TINTAS

VERDE

MORADO

"BURNT SIENNA"

LÁPICES POLICROMOS

AMARILLO

GRIS OSCURO CÁLIDO

NEGRO

ROTULADOR DE BASE DE ALCOHOL GRIS CÁLIDO

El dibujo del profesional

El artista ha calcado el dibujo de su boceto aumentándolo con una caja de luz en un papel de pergamino y utilizando un rotulador de color gris cálido de punta fina de base de alcohol. El color se ha añadido utilizando capas de acrílico transparente con tinta verde en las extremidades. Después se añadieron unos destellos blancos con pintura acrílica opaca.

ÚLTIMOS PASOS

Calca el contorno y la mayoría de las sombras en un papel de pergamino con textura, utilizando un rotulador de color gris cálido de punta fina spirit-based.

PUNTEA EL CUERPO

Después de estirar el papel y dejarlo secar, rellena toda la figura de la criatura con una mezcla fina de acrílicos amarillo ocre y morado para crear un tono color carne pálida. Utiliza un pincel grande y de punta fina (se impregnará con pintura). Salpica el dibujo, tocando sólo la punta del pincel con golpes cortos, deja algunas zonas sin pintar.

MEZCLA LOS COLORES

Colorea las extremidades, la cola y la boca. Primero, humedece la zona a colorear con agua limpia; después, aplica tinta morada diluida, empezando por la zona más oscura de la figura, esparciendo la pintura hasta la parte húmeda.

COLOREA EL FONDO

Mezcla una gran cantidad de color en un cuenco, utiliza azul ultramar, "burnt umber" y morado. La mezcla tiene que quedar muy diluida. Ahora utiliza sólo agua. Cubre todo el fondo rodeando la figura de la criatura, pero dejando una franja en la parte inferior de la imagen sin pintar. Diluye la pintura hasta crear una tonalidad un poco más clara, y colorea el suelo de la misma forma que lo has hecho antes. Si el color se ve demasiado oscuro, retira el exceso de pintura con un papel.

BRILLO

Cuando se haya secado el fondo, repite el proceso, pero dejando el borde más cercano al contorno de la bestia sin esta capa extra. Con ello parecerá que la criatura "brilla".

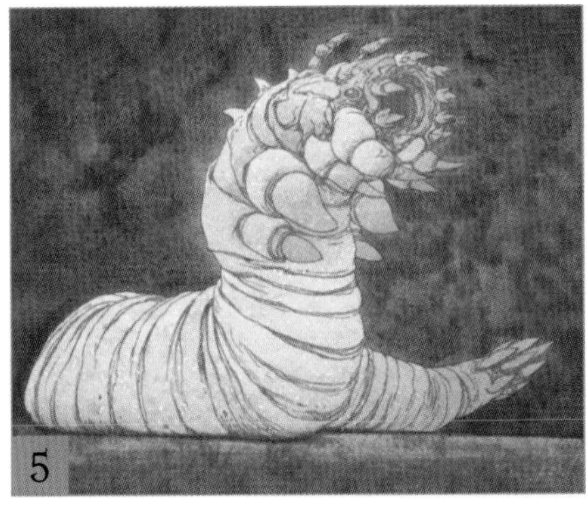

LUZ Y SOMBRA

Utiliza un lápiz pastel de color amarillo pálido para el suelo y aplica unos trazos horizontales en la parte más cercana a la criatura. Difumínalo con el fondo utilizando los dedos. Con unos lápices negro y gris oscuro cálido repasa las líneas que forman la figura. Las líneas tienen que ser más oscuras en las zonas sombrías y más claras en las zonas en las que quieres que se integren con el fondo.

MÁS DETALLES

Añade tinta verde en las extremidades, tal como hiciste en el paso 3. Oscurece el color de la boca de la misma manera, utiliza capas de tinta morada y "burnt sienna".

DETALLES FINALES

Usa pintura acrílica blanca opaca (con un toque de amarillo ocre) para colorear alrededor de la parte superior de la criatura, asegurándote de que tapas los trazos que están en contacto con el color del fondo. Con el mismo color añade brillos a las extremidades y a la boca.

Bocetos de personajes: Espíritu del pantano

El Espíritu del pantano es un poderoso ente que controla el entorno en el que habita y que puede combinar gran cantidad de elementos naturales para crear una forma física. Se trata de una criatura que es muy difícil de distinguir ya que está compuesta por las mismas plantas y matorrales que forman su hábitat. Entre las ramas del Espíritu se pueden encontrar incluso algunas de las otras criaturas que habitan en el pantano, como por ejemplo serpientes, de hecho algunas de ellas incluso prefieren refugiarse en él.

La criatura del pantano suele emerger de entre las aguas lentamente. Su movimiento es pausado, pero sus poderosos "brazos" pueden resultar muy peligrosos. También puede cambiar de forma rápidamente y trepar a los árboles y a otras superficies verticales "creciendo" sobre ellos. El Espíritu podría atrapar a un viajero descuidado y hacer que el pantano lo engullera, proporcionándole una muerte inesperada.

COLOREA LA BESTIA
Esta temible criatura se ha coloreado con Photoshop, añadiendo los tonos verdes y marrones con el aeró-grafo. Con él podrás pulverizar varias capas de color para acumular varias tonalidades. Si utilizas una tableta gráfica podrás dibujar unos trazos suaves para representar los matorrales que rodean toda la figura, gracias a que esta herramienta es mucho más sensible que el ratón.

CREA LA MANO
Construye el esqueleto de una mano con ramas y después añade tallos y hojas a su alrededor para crear una figura tridimensional.

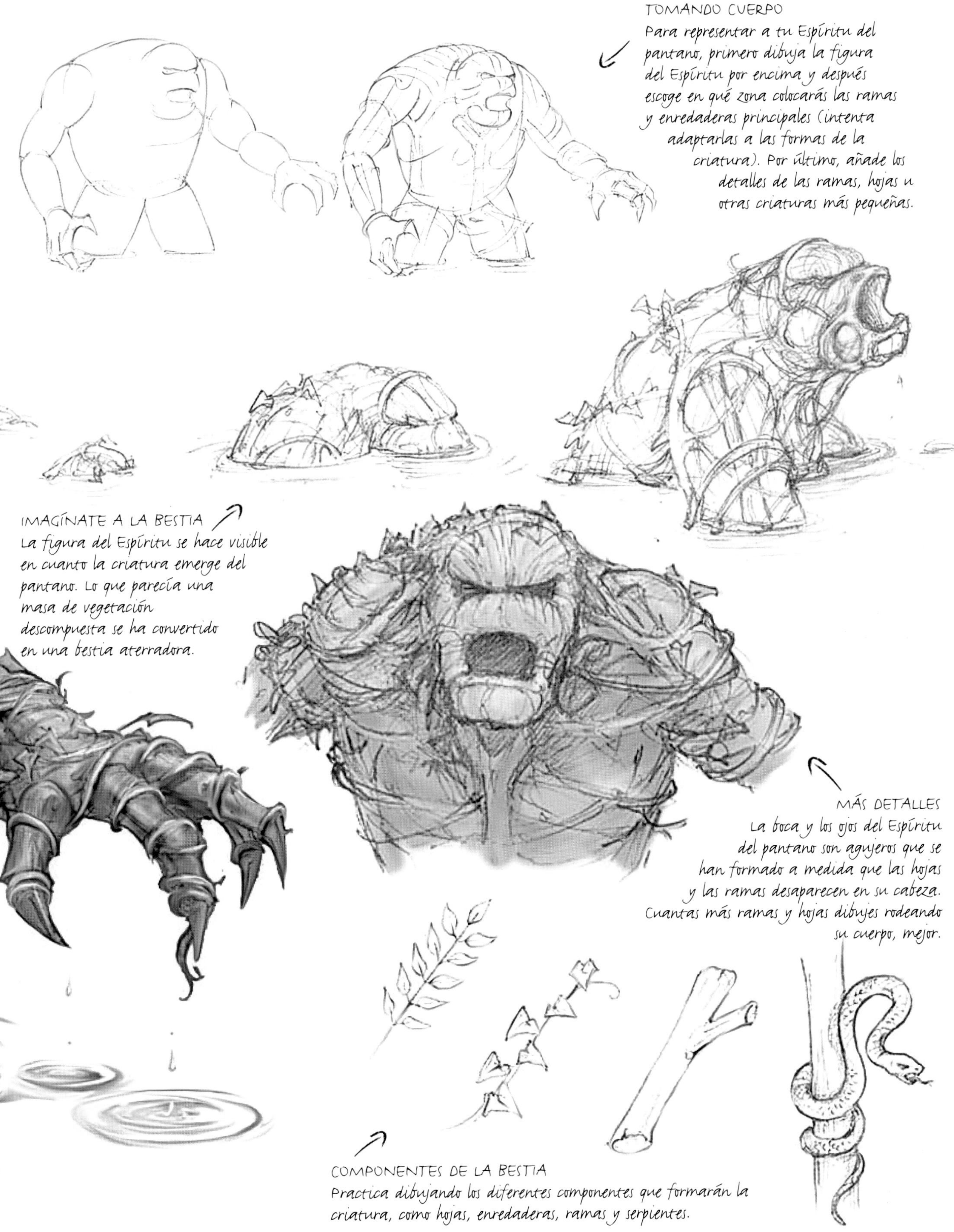

TOMANDO CUERPO

Para representar a tu Espíritu del pantano, primero dibuja la figura del Espíritu por encima y después escoge en qué zona colocarás las ramas y enredaderas principales (intenta adaptarlas a las formas de la criatura). Por último, añade los detalles de las ramas, hojas u otras criaturas más pequeñas.

IMAGÍNATE A LA BESTIA

La figura del Espíritu se hace visible en cuanto la criatura emerge del pantano. Lo que parecía una masa de vegetación descompuesta se ha convertido en una bestia aterradora.

MÁS DETALLES

La boca y los ojos del Espíritu del pantano son agujeros que se han formado a medida que las hojas y las ramas desaparecen en su cabeza. Cuantas más ramas y hojas dibujes rodeando su cuerpo, mejor.

COMPONENTES DE LA BESTIA

Practica dibujando los diferentes componentes que formarán la criatura, como hojas, enredaderas, ramas y serpientes.

Bocetos de personajes: Reptil del pantano

El pantano presenta gran cantidad de oportunidades para el artista fantástico. ¿Qué podría aparecer en el fondo de una piscina o de un depósito de agua estancada? ¿Qué tipo de monstruosidad mutante puede estar a la espera bajo una rama retorcida de un árbol del pantano? La imaginación del artista es lo único que puede limitar las posibilidades de creación artística en lo que a criaturas que pueblan este mundo hostil se refiere.

Las criaturas reales son una fuente de consulta excelente, se pueden combinar y exagerar para crear una variedad infinita de monstruos letales que podrán existir en cualquier entorno fantástico.

Los cocodrilos, las libélulas, las serpientes o cualquiera de los posibles habitantes de un pantano te servirán como punto de partida.

Si además los exageras conseguirás unos resultados asombrosos. No hay nada más exótico que un modesto sapo, bien fácil de encontrar, que es el animal que nos ha servido como base para este reptil del pantano.

EXPRESIÓN
Este boceto de la cabeza del reptil del pantano recrea una expresión bastante violenta, con una lengua larga y unos dientes afilados enfatizan su naturaleza depredadora.

TÉCNICA
En los primeros pasos de la ilustración el artista tiene gran libertad para explorar ideas y llevar al extremo el concepto de su creación. En esta etapa es recomendable que trabajes rápido, que juegues libremente con el dibujo y que saques provecho de los posibles "accidentes" que puedan resultar de tus garabatos. Puedes descubrir, sin darte cuenta, algo que le dé un giro de 180° a tu creación. Estos primeros bocetos se han realizado con un rotulador de punta gruesa.

CREA LA FIGURA
Se han utilizado figuras geométricas básicas para que el dibujo tenga una base sólida. Siempre es bueno experimentar con estas formas porque pequeñas variaciones en esta etapa del proceso pueden convertirse en cambios espectaculares en el resultado final.

ÉNFASIS EN EL FÍSICO.
Este boceto tosco explora el equilibrio entre las masas del físico de la criatura.

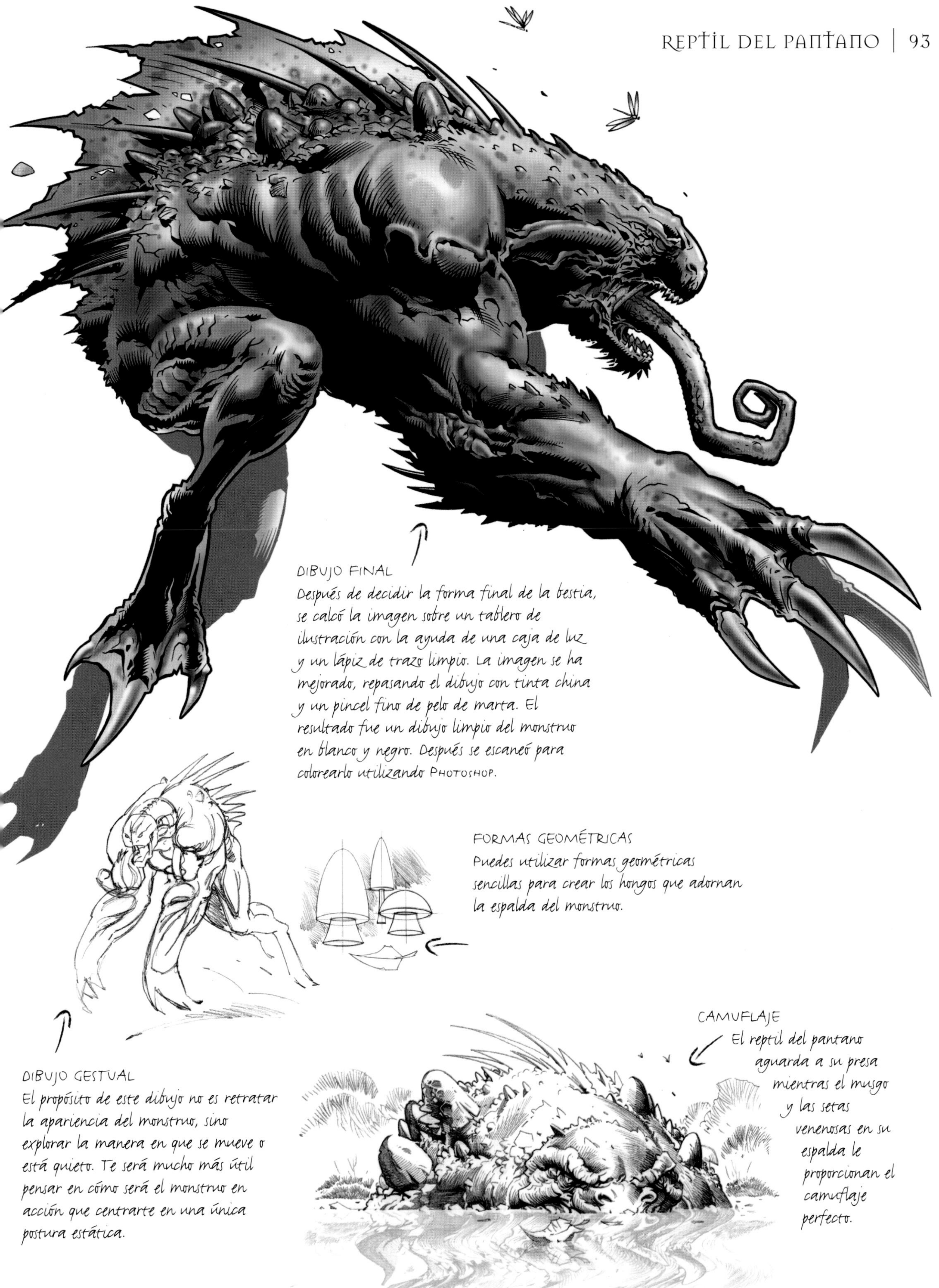

DIBUJO FINAL

Después de decidir la forma final de la bestia, se calcó la imagen sobre un tablero de ilustración con la ayuda de una caja de luz y un lápiz de trazo limpio. La imagen se ha mejorado, repasando el dibujo con tinta china y un pincel fino de pelo de marta. El resultado fue un dibujo limpio del monstruo en blanco y negro. Después se escaneó para colorearlo utilizando Photoshop.

FORMAS GEOMÉTRICAS

Puedes utilizar formas geométricas sencillas para crear los hongos que adornan la espalda del monstruo.

CAMUFLAJE

El reptil del pantano aguarda a su presa mientras el musgo y las setas venenosas en su espalda le proporcionan el camuflaje perfecto.

DIBUJO GESTUAL

El propósito de este dibujo no es retratar la apariencia del monstruo, sino explorar la manera en que se mueve o está quieto. Te será mucho más útil pensar en cómo será el monstruo en acción que centrarte en una única postura estática.

BOCETOS DE PERSONAJES: DRAGÓN DEL PANTANO

El dragón del pantano es básicamente una anguila gigante, pero comparte características con sus familiares dragones (ver pág. 40). Este dragón se alimenta principalmente de carroña, pero en momentos de hambre extrema es capaz de atacar y consumir presas vivas.

Estos dragones se pasan los meses de verano hibernando ya que prefieren los climas más frescos y húmedos.

A los dragones del pantano se les considera actualmente como unos barómetros medioambientales. Apenas toleran la polución que producen los humanos, lo que significa que si un dragón está en un lugar es porque el ecosistema es sano.

CREA LA FIGURA
En este boceto se puede apreciar como se retuerce el cuerpo del dragón, tanto fuera como dentro del agua.

TÉCNICAS DE ACUARELA

Aquí tenéis 3 maneras básicas de aplicar la acuarela.

HÚMEDO SOBRE HÚMEDO
Antes de empezar se humedece el papel con agua limpia. Cuando apliques el color, la pintura se esparcirá sobre el papel mojado con lo que conseguirás un efecto nublado muy sutil. Esta técnica también se puede utilizar con pintura acrílica. En este caso hemos aplicado varias capas, siguiendo el mismo proceso ya que cuando el acrílico se seca es resistente al agua.

HÚMEDO SOBRE SECO (SANGRADO)
Se aplican los colores sobre otros antes de que estos se sequen. Con esta técnica se consigue un efecto de sangrado entre los colores que sirve para crear unos cambios en las tonalidades y en los colores muy interesantes, a la vez que se mantienen los bordes en relieve.

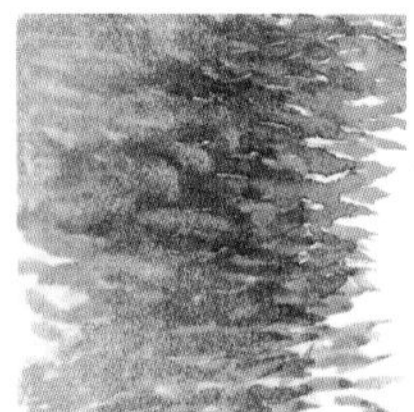

HÚMEDO SOBRE SECO CON BORRADO
Se deja que la primera capa de colores se seque antes de aplicar la siguiente. La segunda capa se seca, dejando unos bordes bastante duros por lo que esta técnica es la más adecuada para realizar detalles puntiagudos. También te permite crear brillos o modificar alguna zona levantando el color (te vendrá perfecto cuando utilices una tonalidad demasiado oscura). Se aplica agua limpia a la zona y después se retira el exceso con papel secante o con una esponja pequeña.

DESARROLLA EL BOCETO
Los cuernos de este dragón funcionan como las púas de un puercoespín. Las inclina hacia atrás cuando se encuentra bajo el agua y, probablemente, sólo las ponga erectas como aviso ante enemigos potenciales.

Siniestro, astuto.

Enfadado.

Cansado, triste.

Dócil, pasivo.

OJOS Y EXPRESIÓN
Muchas veces se dice que los ojos son el espejo del alma y tal como se puede ver en estos ejemplos, los ojos también son un buen medio para expresar el estado de ánimo y el carácter de las criaturas fantásticas. Igual que pasa con los humanos, la forma de los ojos y la manera en que se arquean las cejas pueden ser buenos indicadores de lo que siente la criatura.

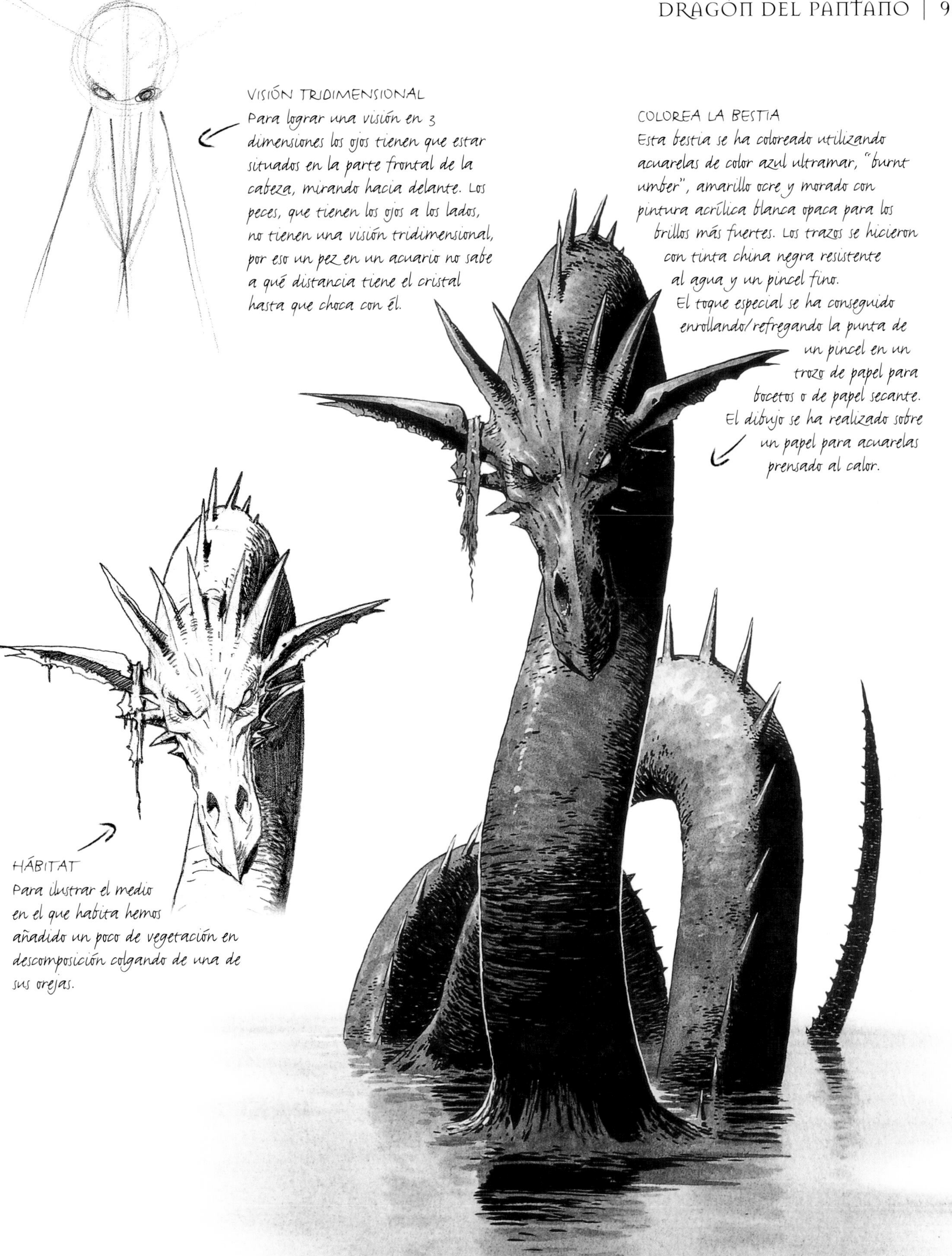

VISIÓN TRIDIMENSIONAL

Para lograr una visión en 3 dimensiones los ojos tienen que estar situados en la parte frontal de la cabeza, mirando hacia delante. Los peces, que tienen los ojos a los lados, no tienen una visión tridimensional, por eso un pez en un acuario no sabe a qué distancia tiene el cristal hasta que choca con él.

COLOREA LA BESTIA

Esta bestia se ha coloreado utilizando acuarelas de color azul ultramar, "burnt umber", amarillo ocre y morado con pintura acrílica blanca opaca para los brillos más fuertes. Los trazos se hicieron con tinta china negra resistente al agua y un pincel fino. El toque especial se ha conseguido enrollando/refregando la punta de un pincel en un trozo de papel para bocetos o de papel secante. El dibujo se ha realizado sobre un papel para acuarelas prensado al calor.

HÁBITAT

Para ilustrar el medio en el que habita hemos añadido un poco de vegetación en descomposición colgando de una de sus orejas.

BOCETOS DE PERSONAJES: KROPECHARON

El Kropecharon es una criatura que se asemeja a un insecto y que no mide más de un metro de alto. Estos artrópodos son unas bestias astutas, pero a pesar de su aspecto primitivo, conviven en unidades sociales civilizadas. Los Kropecharon viven en tribus, en manglares salados y en estuarios, y pescan y cazan para sobrevivir. También crían otros artrópodos, como cangrejos y escarabajos, y los tienen como ganado; de sus caparazones se hacen herramientas y armas.

Desde los insectos microscópicos hasta los crustáceos, existen más de un millón de especies de artrópodos y todos ellos pueden servirte como fuente de inspiración. A pesar de la gran variedad de criaturas en esta familia, los cuerpos de los artrópodos poseen muchos puntos en común. Tienen el cuerpo cubierto con un caparazón duro, un cuerpo dividido en segmentos y unas patas articuladas, pero carecen de columna vertebral. La inspiración para el Kropecharon viene de varios insectos. Tiene características que lo acercan a las avispas, a las cucarachas, a los grillos y a la mantis religiosa. Como la mayoría de los insectos, los Kropecharon tienen un cuerpo segmentado y anguloso, con una figura muy puntiaguda.

EVOLUCIÓN
Gracias a que su evolución le permite estar de pie, el Kropecharon puede ver por encima de las plantas y escombros que pueda haber en los pantanos de los manglares.

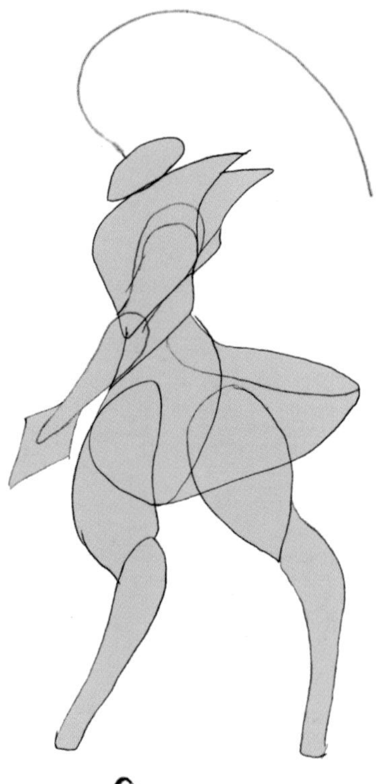

CREA LA FIGURA
Crea el Kropecharon empezando con figuras sencillas.

VISTA LATERAL
Los Kropecharon se mantienen de pie aunque utilicen cuatro patas para caminar. Gracias a ellas, tienen un buen equilibrio y dos brazos libres para manipular herramientas.

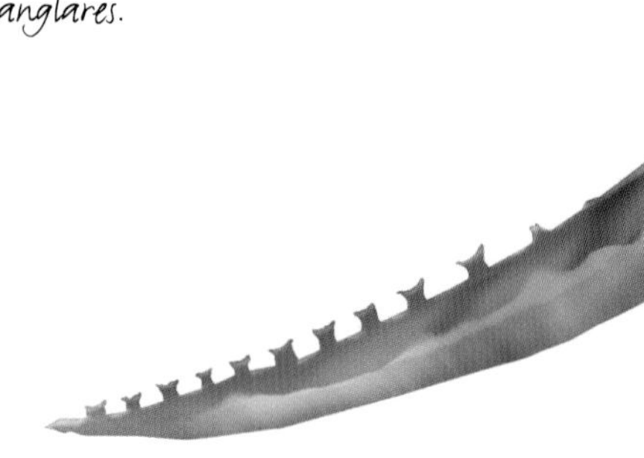

MANO
El Kropecharon era una criatura con seis patas, pero sus dos patas delanteras se desarrollaron para que las pudiera utilizar como manos, le permiten agarrar objetos y herramientas gracias a sus dos pulgares opuestos.
ESCUDO
Los Kropecharon, que viven en los manglares, son capaces de recoger los frutos de la riqueza de los bosques y del mar. Utilizan los caparazones duros de los grandes cangrejos de los pantanos a modo de escudo para poder cazar escarabajos de tierra aún mayores.
COLOREA LOS SEGMENTOS
Cuando ya tengas el diseño básico para esta criatura, realiza un boceto y colorea cada segmento de su cuerpo individualmente, utilizando PHOTOSHOP. Después, júntalo todo para tener la imagen final. Se trata de una manera poco común para crear una imagen pero resulta muy efectiva para los artrópodos.

BESTIAS DEL BOSQUE

Inspírate

Para este tipo de bestias un simple paseo por el bosque más cercano puede servirte de inspiración, pero para conocer criaturas tropicales más exóticas e investiga sobre las selvas de Madagascar o el Amazonas.

1 Este oso pardo parece muy mono y amigable, pero no te dejes engañar. Se trata de una peligrosa bestia de los bosques.

2 Muchas criaturas se protegen pareciéndose al entorno en el que viven. El del ejemplo parece una hoja, pero tu criatura fantástica podría parecer un árbol entero.

3 No te olvides de pensar también en cómo será el lugar en el que viva y en cómo cambiará su aspecto a medida que envejezca.

4 Cuando observes la naturaleza, no te fijes sólo en los animales. Su entorno te aportará también gran cantidad de oportunidades bien interesantes.

1

3
4
2

BOCETOS DE PERSONAJES: TROL

Los trols son amorfos y feos, una temible raza humanoide que proviene del folclore escandinavo. Tradicionalmente nunca les ha gustado la luz, por lo que habitan en bosques y en lugares oscuros, además suelen aparecer de noche. Son omnívoros y unas voraces máquinas de comer, se pasan la mayor parte del tiempo que están despiertos buscando o consumiendo comida. Sus proporciones y sus pasos se parecen a los de los babuinos o las de los orangutanes, pero su estatura es mayor, entre 1,8 y 2,1m.
En contadas ocasiones, si es que ha habido alguna, se les ha retratado como criaturas amistosas.

El folclore de los Trols disminuyó con el avance del cristianismo y fueron superados, en gran medida, por los demonios que parecían más moustrosos y destructivos. Sin embargo, eso no quiere decir que no sean todavía temidos por los humanos.

ARCHIVO DE DATOS FISIOLÓGICOS	
Tamaño:	**Hasta los 2 m de altura.**
Peso:	**300 kg.**
Piel:	**Pelaje verde-marrón oscuro, con la edad se vuelve gris a motas.**
Ojos:	**Azul verdoso claro.**
Señales:	**Con tendencia a construirse refugios bajo los puentes; montañas de piedras apiladas (sus excrementos se petrifican en contacto con el aire).**

LAS MANOS

A los trols no se les conoce por su destreza manual; cualquier herramienta que pudieran manipular tendría que ser bastante rudimentaria y poco efectiva. Hasta cierto punto, puedes utilizar como modelo una mano humana para diseñar su estructura, pero no sería mala idea que le quitarás algún dedo.

1. Empieza siempre por el rasgo más prominente: los nudillos, que se encuentran en una curva que viene determinada por el ángulo de la mano.

2. Añade ahora los dedos principales, coloca el pulgar un poco por detrás del índice.

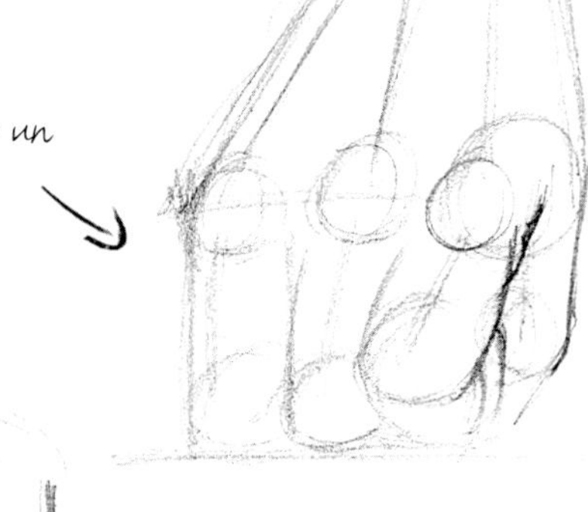

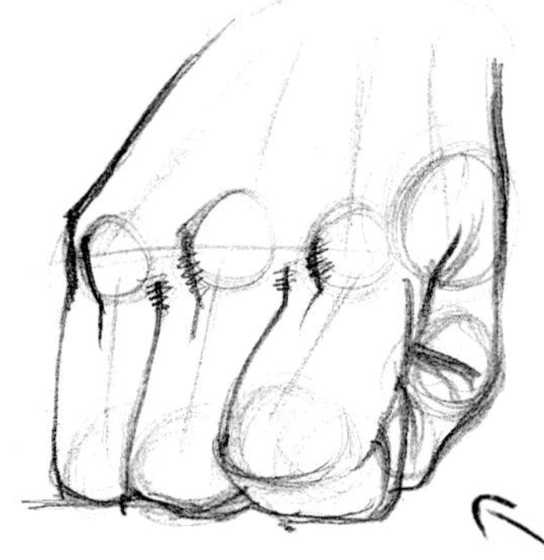

3. El contorno de la mano y los dedos viene marcado por el grosor de la piel y de los músculos que cubren los huesos. Evita los trazos rectos, exagera las curvas si quieres que los dedos parezcan más gruesos.

INSPIRACIÓN

En algunas ocasiones un objeto que, a simple vista, parece no tener nada que ver, nos ayuda en la etapa de inspiración y nos dicta la forma de nuestro personaje; en este caso se trata de una roca. Cuando un trol muere, su cuerpo se contrae hasta adoptar la posición fetal y petrificarse, así libera el gran contenido de calcio que acumula en su esqueleto y se convierte en una roca.

EXPLORA UNA IDEA
Tomando la roca como punto de referencia, colócale unas extremidades hasta que te guste el diseño resultante.

1. Se parece demasiado a una patata con patas.

2. Esto sería una cabeza sola. Tiene los brazos demasiado bajos.

3. Los brazos están demasiado altos, no queda espacio para las orejas. Tiene las patas demasiado rectas, este trol se caería de bruces.

4. Esto ya tiene mejor pinta.

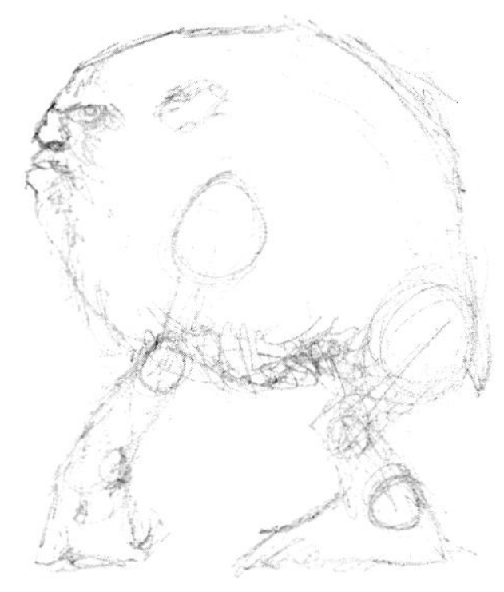

FORTALEZA
Este trol aparenta poder alcanzar grandes velocidades si se pone a cuatro patas.

ESCOGE LA POSTURA
Cuando consigas la forma que buscabas, ponte a trabajar en la postura.

EL DIBUJO DEL PROFESIONAL ▶

COMPARACIÓN DE BOCETOS

Experimenta hasta que des con las orejas perfectas para tu criatura.

Éstas parecen de conejo. Hacen que el trol tenga cara de tonto.

Un trol con estas orejas parecería demasiado humano y demasiado cómico.

Estas orejas parecen de burro. Le dan un aspecto demasiado siniestro.

El dibujo del profesional

El artista ha aumentado el boceto preliminar con una fotocopiadora hasta obtener el tamaño final del dibujo. Después lo ha copiado a un papel coloreado utilizando una fotocopiadora en color y ajustando las opciones de color para que los trazos tuvieran un tono verdoso. El color se añadió con capas de pintura acrílica transparente y con lápices policromos. La pintura opaca se reservó para los brillos únicamente

COLORES UTILIZADOS

ACRÍLICOS

- "VIRIDIAN GREEN"
- "RED IRON OXIDE"
- AMARILLO OCRE
- BLANCO
- AZUL ULTRAMAR

LÁPICES POLICROMOS

- AMARILLO PÁLIDO
- GRIS OSCURO FRANCÉS
- GRIS MEDIO FRANCÉS
- GRIS CLARO FRANCÉS

El color antes que la pintura

Aumenta el boceto a lápiz en la computadora y elimina los trazos innecesarios. Después, imprime la imagen en escala de grises sobre un papel normal. Ahora fotocopia la imagen sobre un papel de color (gris en este caso) utilizando una copiadora a color, ajusta las opciones de color para que los trazos tengan un tono verdoso.

Rellena el cuerpo

Después de estirar el papel sobre un tablero y de dejarlo secar, aplica una ligera capa de pintura acrílica sólo a la figura. Se ha creado un color verde lodo mezclando "viridian green" con "red iron oxide". Cuando se haya secado la primera capa, aplica otros en las zonas con sombra para oscurecer el tono.

Variaciones en la piel

Con un lápiz policromo amarillo pálido colorea las zonas más claras, prestando atención a las zonas con detalles, como las manos y la cara. Los trazos descuidados del boceto aún son visibles y se convierten en arrugas, pelo y pliegues en la piel.

CREA ESPACIO

Utilizando los lápices policromos gris medio y gris oscuro francés añade humo o polvo detrás de la figura. Así se rompe el color gris plano del papel y se acerca la figura al espectador.

UNA PIEL CON PROFUNDIDAD

Empieza superponiendo las tonalidades en las zonas claras con el color del cuerpo. Primero, mezcla un color que quede bien con el color que ha resultado de aplicar el lápiz policromo amarillo pálido sobre el papel gris. Después, aclaralo un poco con blanco, amarillo ocre, "red iron oxide" y un toque de "viridian green".

BRILLOS EXTRA

Trabaja sobre los brillos más claros, después añade una segunda fuente de luz a un lado de la cara y de las manos para que la piel tenga un aspecto reflector y brillante. Estos colores se han logrado a partir de los tonos carne que se utilizaron al principio, pero añadiendo "viridian green" y azul ultramar. Resalta los ojos con un punto del lápiz gris claro francés.

Bocetos de personajes: Espalda cortante

El Espalda cortante es enorme, de hasta 2,4 m de longitud y con un peso de casi 300 kg. Defiende su territorio a muerte y está en estado de alerta constante, si nos lo encontráramos estaría preparado para defender a su núcleo familiar. Su postura habitual es firme y está preparado para luchar contra cualquier intruso.

Para encontrar rastros de esta criatura tendrás que buscar maleza pisoteada, caminos desgastados en bosques densos y fuertes gruñidos acompañados de ruidos de golpes. Cuando dibujes a esta bestia, considera añadirle algo de sangre por la boca y los colmillos, para aumentar el efecto, puedes incluso añadir un resoplido que le salga de las fosas nasales.

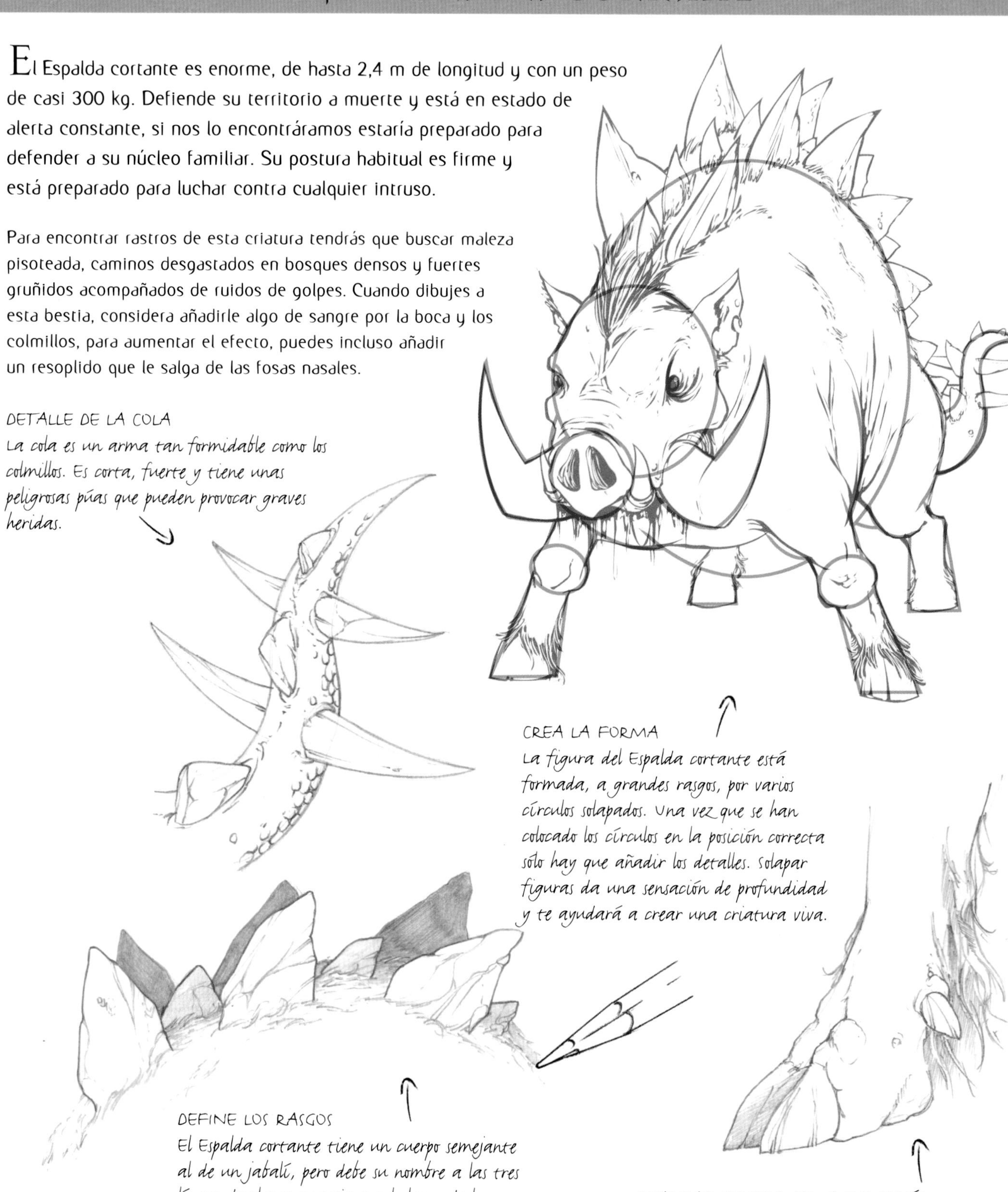

DETALLE DE LA COLA
La cola es un arma tan formidable como los colmillos. Es corta, fuerte y tiene unas peligrosas púas que pueden provocar graves heridas.

CREA LA FORMA
La figura del Espalda cortante está formada, a grandes rasgos, por varios círculos solapados. Una vez que se han colocado los círculos en la posición correcta sólo hay que añadir los detalles. Solapar figuras da una sensación de profundidad y te ayudará a crear una criatura viva.

DEFINE LOS RASGOS
El Espalda cortante tiene un cuerpo semejante al de un jabalí, pero debe su nombre a las tres líneas de placas que tiene a lo largo de la espalda. Las placas exteriores son grandes y planas, la protegen de los ataques de criaturas mayores o más altas que él. La línea central de placas es menor y tiene el mismo recorrido que la espina dorsal.

REALIDAD DENTRO DE LA FANTASÍA
Las pezuñas del Espalda cortante son muy parecidas a las de los cerdos, la única diferencia es que son más grandes y velludas. Una pezuña de cerdo está formada, principalmente, por dos grandes dedos.

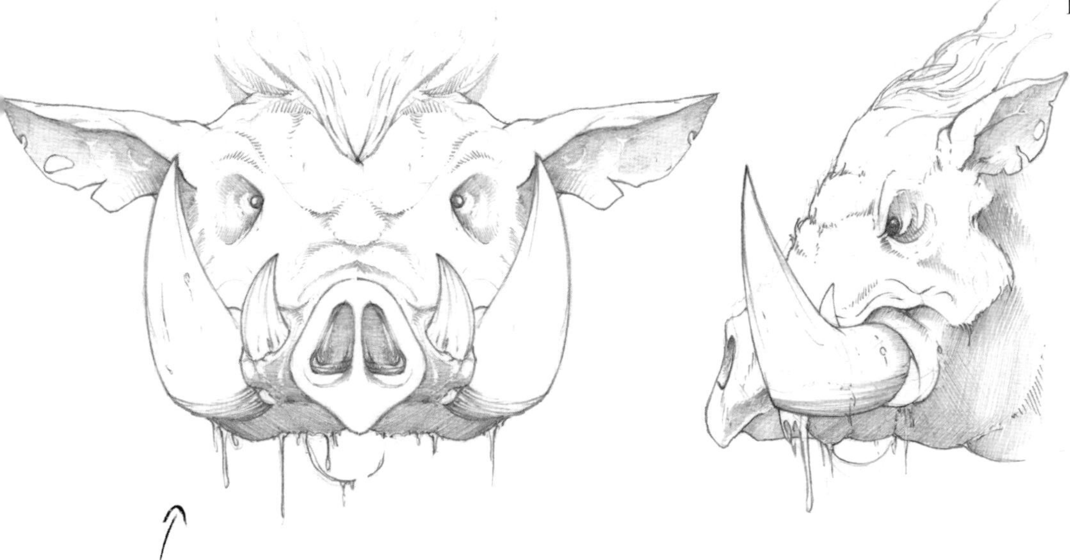

VISTA LATERAL
La distribución de los colmillos le permite bajar la cabeza cuando lucha contra alguien, así protege zonas más delicadas, como la garganta, y sólo expone sus colmillos afilados y la parte frontal del cráneo. Cuando embiste, los colmillos podrían atravesar, fácilmente, la armadura de cualquier enemigo.

TOMA DE LA CABEZA
Tiene una cabeza ancha y plana con un cráneo grueso que le protege de las heridas cuando lucha contra sus víctimas. Unos ojos pequeños, redondos y brillantes se asoman entre unos enormes colmillos y dientes. La cabeza de esta bestia es, excepcionalmente, simétrica.

COLOREA EN CAPAS
Esta bestia se ha dibujado a mano para después terminarla digitalmente, con la ayuda de Photoshop, pero también se podría colorear de manera tradicional. Aplica el color en múltiples capas, empezando por el rojo oscuro en contraste con un color hueso. Trabaja desde los tonos más oscuros hasta los más claros para conseguir varios niveles de sombras y brillos. Pule los detalles a medida que vas avanzando.

Bocetos de personajes: Centauro

Los centauros, una poderosa cruza entre un caballo y un humano, son criaturas mitológicas con un origen bastante turbio. Hay quienes dicen que descienden de Pegaso, el caballo alado, mientras otros creen que fueron hijos de Ixión, Rey de los Lapitas, como castigo por sus acciones criminales y depravadas. Esto explicaría su comportamiento salvaje y malintencionado.

Los centauros son de sobra conocidos por ser cazadores e increíblemente veloces. Son nómadas que vagan por vastas áreas forestales entre campamento y campamento. Estos asentamientos, llenos de marcas de cascos, suelen ser el primer indicio de su sigilosa presencia.

Las variaciones que hay en los caballos pueden aplicarse, generalmente, también a los centauros, con la excepción de que apenas tienen manchas.

ACCESORIOS
Los elementos adicionales pueden lograr que tu criatura sea mucho más interesante y le aportarán más información al espectador. En el caso del centauro, el uso de accesorios de piel en combinación con motivos florales o de plantas refuerza la idea de que la bestia está en sintonía con la naturaleza y que pertenece al bosque.

PUNTO DE VISTA
El ángulo desde el que se dibuja a una criatura puede modificar nuestra percepción de la misma. Si dibujamos desde arriba puede parecer más vulnerable (el espectador podría estar subido a un árbol, a punto de atacar por sorpresa al desprevenido centauro). En cambio, una vista desde abajo puede hacerle parecer más poderoso e imponente.

EL BOCETO DE LA BESTIA
En esta etapa del todavía estás a tiempo de realizar cambios fácilmente, y repetir nuestros dibujos es una parte importante del proceso. Empieza dibujando un boceto de toda la figura que sea bastante amplio para asegurarte de que todos los elementos clave están en su sitio, antes de ponerte con los detalles.

SENTIDO DEL MOVIMIENTO
En estos ejemplos se puede ver la diferencia entre el pelo y los accesorios en posición estática y en movimiento. Piensa en cómo crear una imagen más impactante, por ejemplo, haciendo que parezca que está galopando.

COLOREA LA BESTIA
El centauro se ha pintado con pintura acrílica, empezando por los tonos oscuros y acabando por los claros. Después de las capas más oscuras, aplica una capa de pintura diluida cubriendo toda la imagen antes de empezar con los brillos.

FORMA
El centauro es la combinación de un humano y un caballo; para poder hacer de los dos una única figura tienes que familiarizarte con las dos por separado.

BOCETOS DE PERSONAJES: DRAGÓN DEL BOSQUE

Este tipo de dragones no tienen ni extremidades ni alas, pero están perfectamente adaptados a la vida en selvas densas o en bosques de hojas caducas. Sus parientes más cercanos podrían ser las enormes serpientes constrictor, como la pitón o la boa constrictor. El dragón del bosque prácticamente se mueve y caza de la misma forma.

Este dragón carece de glándula pirogástrica, así que le es imposible echar fuego por la boca. Además, es de sangre fría, por lo que se pasa el invierno hibernando.

ARCHIVO DE DATOS FISIOLÓGICOS

Tamaño:	**Hasta los 36 m de longitud.**
Peso:	**4 toneladas.**
Piel:	**Marrón verdoso policromo.**
Ojos:	**Viridian.**
Señales:	**Marcas de surcos en el suelo; árboles con la corteza arrancada desde el suelo hasta las hojas.**

DIBUJAR ESCAMAS

Dibujar escamas no es difícil, pero puede resultar muy aburrido. Afortunadamente, algunas técnicas hacen que sea más fácil. La mayoría de las veces es mejor dejar los detalles más minuciosos para la parte de la bestia que quieres utilizar como punto central y tratar el dibujo de una manera más impresionista en el resto de la figura. Sólo tienes que dibujar las escamas más grandes, el resto serán unos simples toques o pinceladas de color.

CUERNOS

Los cuernos se tienen principalmente para exhibirlos (para atraer a una compañera, para ahuyentar a posibles enemigos, o para que la criatura posea un estatus determinado dentro de un grupo). Puedes inspirarte en los dinosaurios. Pueden ser del color que quiera el artista e incluso tener un dibujo especial en la piel, así que consulta todo el material sobre el reino animal real que puedas.

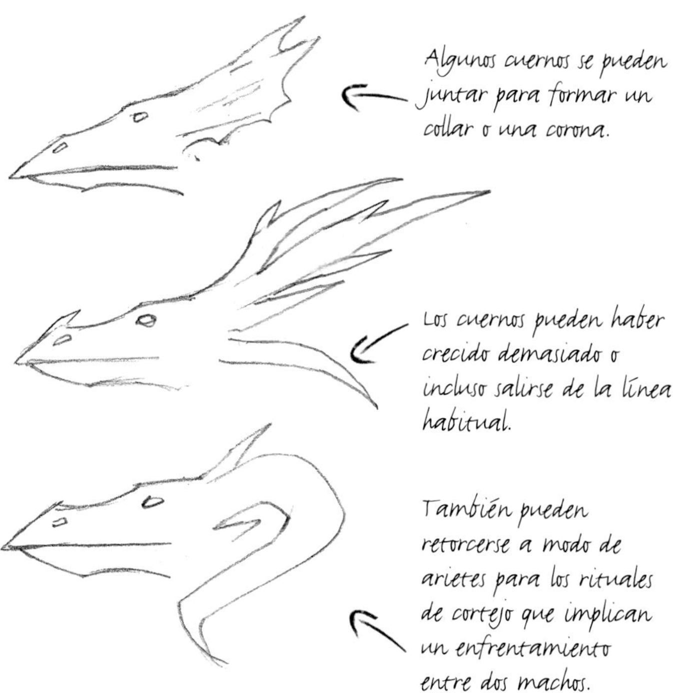

Algunos cuernos se pueden juntar para formar un collar o una corona.
Los cuernos pueden haber crecido demasiado o incluso salirse de la línea habitual.
También pueden retorcerse a modo de arietes para los rituales de cortejo que implican un enfrentamiento entre dos machos.

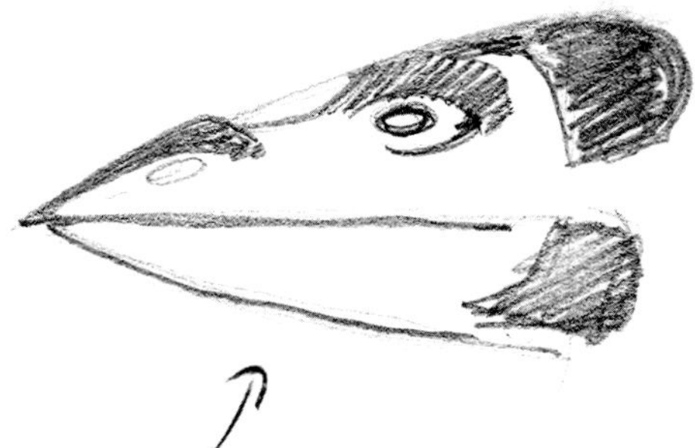

FISIOLOGÍA DE LA CORNAMENTA

Los cuernos de un dragón probablemente crecerían en las zonas en las que el hueso queda más cerca de la superficie de la piel. Las zonas sombreadas en este boceto ilustran esas partes: nariz, cejas, cráneo y la parte más pesada de la mandíbula, la parte posterior.

¿POR QUÉ CON CUERNOS?

La cantidad de cuernos no es importante, pueden ser pocos o todos los que tú quieras, pero ten siempre en cuenta que los cuernos tienen tres finalidades: ataque, defensa, exhibición.

¿POR QUÉ LOS CUERNOS VAN HACIA ATRÁS?

Busca la respuesta en la naturaleza. Los animales que tienen los cuernos hacia delante son los menos. ¿Qué tipo de animal atacaría a un enemigo con una protección similar utilizando su cara? Si lo hiciera, pondría justo las partes que intenta proteger (los ojos, la nariz y la cabeza) en peligro. De hecho, la mayoría de las criaturas que poseen cornamenta la utilizan a modo de "rastrillo", haciendo un movimiento de vaivén hasta herir a sus presas o enemigos. Este movimiento causa mucho más daño y requiere menos esfuerzo.

EL DIBUJO DEL PROFESIONAL ▶

COMPARANDO BOCETOS

Para empezar, la postura de tu dragón puede ser tan simple como una línea irregular, con un triángulo que indique donde irá la cabeza. La postura y la estructura se pueden construir a partir de esta línea "eje".

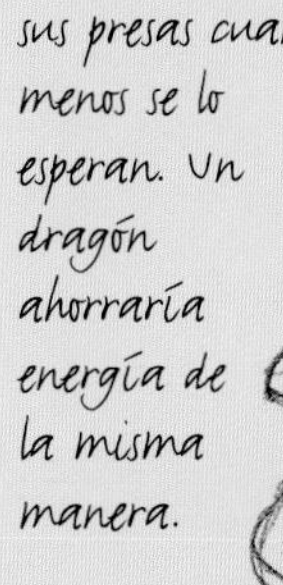

Para conseguir el aspecto de un dragón del bosque agresivo dibuja un tubo enrollado que sea más fino hacia el final de la cola. Puede ser todo lo larga o complicada que quieras. No te preocupes si algunas líneas se solapan, te servirá para conectar los bucles y además, siempre podrás borrarlas después con una goma.

Este dragón parece una cobra, es agresivo y está preparado para atacar. Al final, se dejó esta postura a un lado y se escogió una más relajada, que recordara a serpientes más pesadas como las pitones o las constrictor. Este tipo de serpientes no son conocidas por su velocidad, esperan quietas y se abalanzan sobre sus presas cuando menos se lo esperan. Un dragón ahorraría energía de la misma manera.

El dibujo del profesional

COLORES UTILIZADOS
ACRÍLICOS
AMARILLO LIMÓN
AZUL ULTRAMAR
MORADO
SOMBRA TOSTADA
BLANCO
ROTULADOR DE PUNTA DE FIBRA
NEGRO

El artista ha fotocopiado el boceto preliminar aumentándolo hasta el tamaño que quería para el dibujo final. Después, ha borrado los trazos que no necesitaba con un corrector blanco y ha dado más intensidad a las zonas de negro opaco con un rotulador fino negro. Posteriormente, ha fotocopiado la imagen sobre un papel poco denso para acuarela con una copiadora a color que había sido ajustada para que los trazos se vean en tonos verdosos. El color se ha añadido con capas transparentes de pintura acrílica y lápices policromos. Los colores opacos se han dejado para los últimos pasos, en los que hay que pulir bordes y añadir brillos.

PREPARACIÓN

Borra los trazos innecesarios en la computadora; después, imprime la imagen y fotocópiala en color sobre un papel para acuarela. Ajusta los colores para que los trazos se vean verdosos.

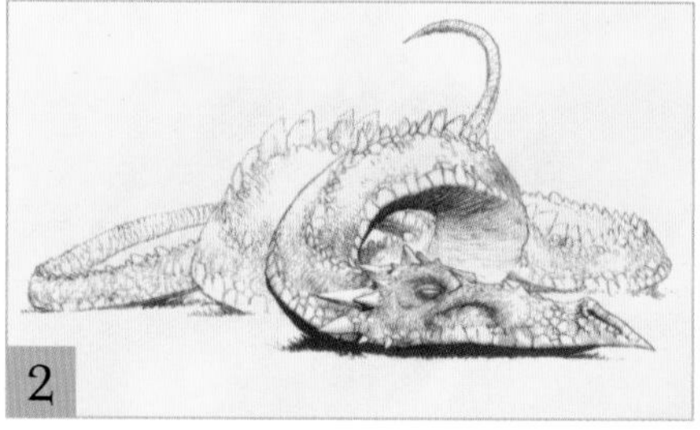

AÑADE EL FONDO

Estira el papel sobre un tablero y deja que se seque. Luego, vuelve a humedecer el papel y añade capas finas de acrílico amarillo limón por todo el dibujo, permitiendo que el amarillo quede más intenso en la figura del dragón.

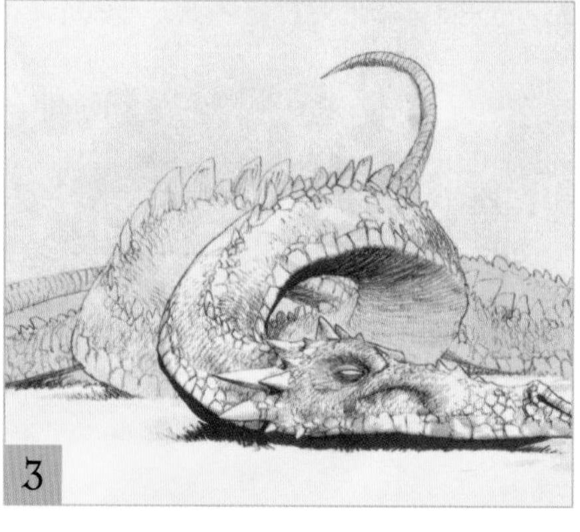

PULE EL FONDO

Cuando el color amarillo se haya secado completamente aplica un segundo baño de azul ultramar muy diluido con un pincel grande, pero sólo en la parte del suelo. No apliques color en la zona de hierba sobre la que el dragón está reposando.

AÑADE LAS SOMBRAS

Después de que se seque esta capa, añade más de azul ultramar pero sólo sobre el dragón, dejar algunas zonas sin color para que dé la sensación que unos rayos de luz son la causa de los brillos su cuerpo. Añade algunos detalles en el fondo p ocultar los errores que hayas podido cometer en el paso anterior.

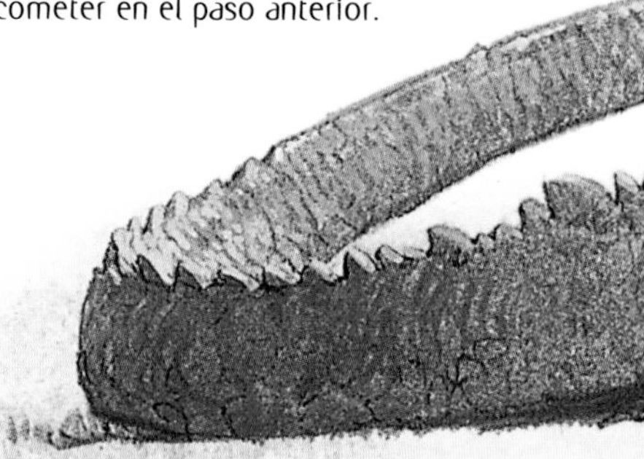

APLICA EL COLOR DE LA PIEL

Ahora aplica "burnt umber" sólo sobre el cuerpo del dragón. Utiliza el color más oscuro para la cabeza y la nariz y el mismo color, pero diluido para las partes que están más alejadas. Esta vez se ha coloreado todo el cuerpo, incluso las zonas que antes se habían dejado sin color y en las que se veían los primeros baños en amarillo limón.

CREA CAMBIOS DE COLOR

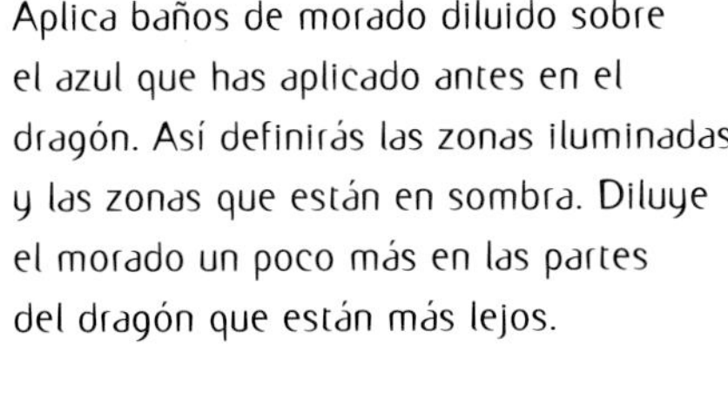

Aplica baños de morado diluido sobre el azul que has aplicado antes en el dragón. Así definirás las zonas iluminadas y las zonas que están en sombra. Diluye el morado un poco más en las partes del dragón que están más lejos.

AÑADE FORMA Y PROFUNDIDAD

Se aplica el color del cuerpo a modo de brillos. Intenta que se parezca lo más posible al color anterior; después, aclóralo utilizando blanco y amarillo limón para el primer plano, y añade un toque de azul ultramar para las partes más alejadas. Lo más importante es ocultar los trazos negros en los bordes superiores más claros, así el dragón tomará volumen sobre el fondo.

Bocetos de personajes: Lince salvaje con colmillos de sable

Poseedores de unos dientes tan afilados que podrían causar la muerte, los linces salvajes con colmillos de sable son conocidos por ser depredadores feroces de la prehistoria. Al lince salvaje con colmillos de sable no le gusta cazar recorriendo largas distancias, prefiere aguardar y saltar sobre su víctima, abalanzarse sobre ella y derribarla para acto seguido asestar una puñalada mortal con sus colmillos en una zona blanda y carnosa.

Sus dientes son básicamente los mismos que puede tener cualquier otro felino de gran tamaño, pero esta misma característica la poseen muchos otros mamíferos, como las comadrejas o los osos, por lo que tienes muchos animales que te servirán de ejemplo.

Este animal es agresivo, así que es importante que lo representes en acción. Una forma fantástica de transmitir su energía es dibujarlo como si estuviera a punto de abalanzarse sobre una de sus presas. Todos los seres vivos se mueven, por eso, si dibujas a tu criatura en una posición dinámica te servirá de gran ayuda para crear la ilusión de algo real.

MUNDO FICTICIO
Viajeros despistados, ¡abran bien los ojos!

CREA LA FORMA
Empieza por diseñar unas figuras simples, pero precisas, que te sirvan de base para una postura de aspecto feroz. Pocas veces se tiene una vista completa desde una perspectiva lateral y si dibujas así a tu bestia parecerá estática y sin vida, así que practica dibujándola desde ángulos que den más juego.

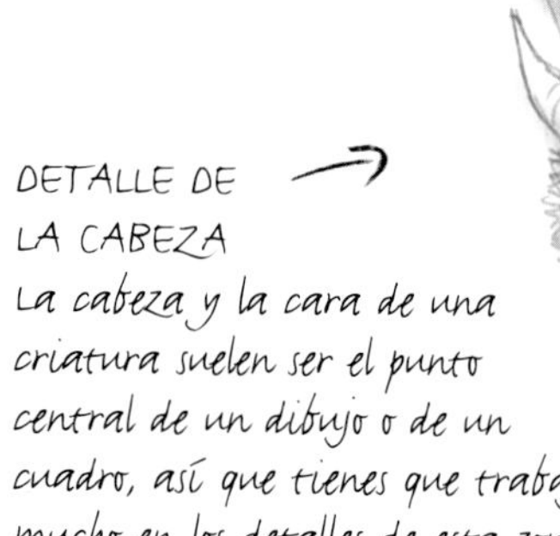

DETALLE DE LA CABEZA
La cabeza y la cara de una criatura suelen ser el punto central de un dibujo o de un cuadro, así que tienes que trabajar mucho en los detalles de esta zona.

ILUMINACIÓN
Se ha aplicado un poco de trama para que las figuras parezcan más sólidas y para experimentar con la iluminación.

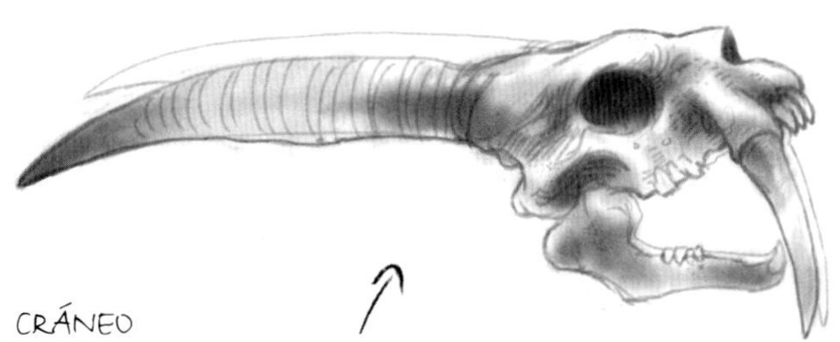

CRÁNEO
Imagínate las estructuras que están bajo su piel, pensando en la forma que pueden tener y por qué. Unos colmillos de este tamaño necesitan unas raíces bien fuertes y grandes.

COLOREA LA CRIATURA

Esta bestia se ha creado digitalmente con Corel Painter y una tableta gráfica. Colorea la bestia sobre un lienzo de color sepia y aplica primero los tonos más oscuros y después los más claros formando tonos intermedios y brillos claros. Con un buen manejo de las herramientas digitales puedes conseguir gran variedad de texturas interesantes.

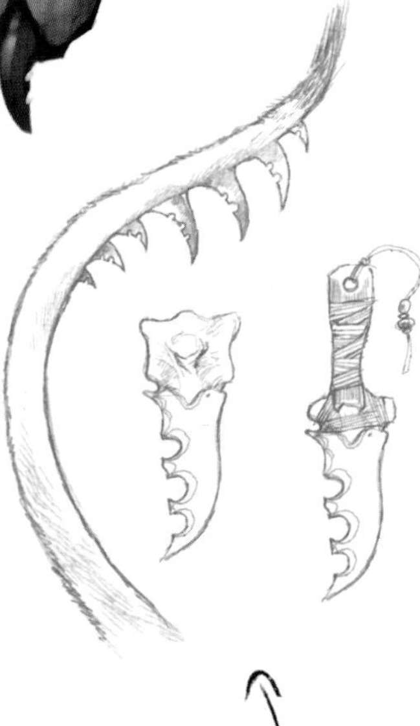

INSPIRACIÓN EN LA VIDA REAL

Investiga concienzudamente sobre las criaturas de la vida real, te ayudarán a darle realismo y autenticidad a tu creación.

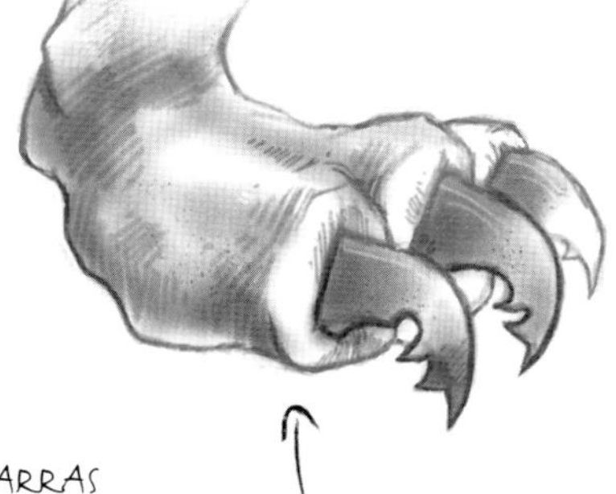

GARRAS

Al igual que todos los felinos, el lince salvaje con colmillos de sable trepa por los árboles y posee unas garras bien afiladas que se lo permiten. Este rasgo se repite en las cuchillas de la cola.

RASGOS DE LA COLA

Esta cola está especialmente adaptada para enrollarse alrededor de las ramas y para abrirse camino entre las espesas copas de los árboles en su escalada. También le sirve como arma temible (de los huesos de la cola le salen unas cuchillas afiladas).

El hecho de repetir un rasgo crea un diseño atractivo, y si además cambias el tamaño tu creación ganará en interés visual.

Bocetos de personajes: Espíritu del bosque

El Espíritu del bosque es sabio, callado y pensativo. Tiene los pies muy bien arraigados a la tierra; cada vez que camina crecen de sus pies nuevas raíces que toman contacto con la tierra inmediatamente. El Espíritu es capaz de modificar su forma y tamaño, y desarrollar corteza nueva, hojas o ramas si lo cree necesario.

Como corresponde a una criatura que vive muchos años y toma decisiones después de haberlas pensado largo y tendido, las zancadas del Espítitu se producen después de sus pertinentes meditaciones ya que un paso puede requerir varias horas o incluso días. La hierba y el musgo pueden crecerle en los pies mientras piensa cuál será su próximo paso. Debido a estos largos períodos de inactividad, se sabe que muchos humanos han pasado por debajo de un Espíritu pensando que se trataba de un simple árbol. A pesar de lo que pueda parecer, los leñadores despistados tienen que tener cuidado si se les ocurre levantarles un hacha, aunque a un Espíritu no se le provoca fácilmente, si le atacan responde.

INFLUENCIA E INSPIRACIÓN

Observa árboles y bosques para que tus texturas resulten creíbles. Si realizas unos bocetos de árboles antes de dibujar tu criatura notarás que lograr efectos realistas en su tronco te resultará mucho más fácil.

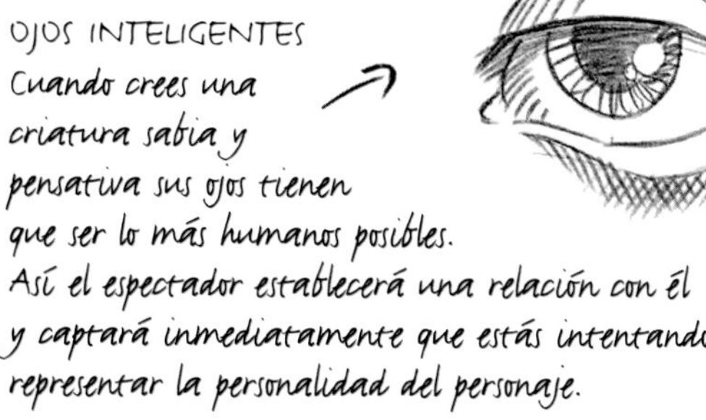

OJOS INTELIGENTES

Cuando crees una criatura sabia y pensativa sus ojos tienen que ser lo más humanos posibles. Así el espectador establecerá una relación con él y captará inmediatamente que estás intentando representar la personalidad del personaje.

MUSCULATURA

Tiene las extremidades muy parecidas a las de los humanos, así que fíjate en la musculatura humana, aunque te parezca muy exagerada. Si alargas las líneas de la corteza y las utilizas para acentuar los músculos tu criatura parecerá mucho más real.

CARACTERÍSTICAS BÁSICAS

Detalles como los dedos que parecen ramas, los parches de hierba y las raíces en los pies son los que marcan la diferencia a la hora de diseñar una criatura interesante. Intenta pensar en rasgos que puedan sorprender al espectador, pero que a la vez sean útiles y lógicos para el personaje.

EXPRÉSATE

Probablemente, tendrás que realizar varios bocetos de los rasgos principales, como por ejemplo, la cara, hasta que consigas la expresión que mejor queda.

BOCETO FINAL

En esta ilustración se puede apreciar todo el proceso que hay debajo de la pintura. La criatura se ha dibujado a lápiz sobre un tablero de dibujo imprimado en GESSO acrílico. El boceto se ha fijado con una capa de diluyente mate antes de empezar a colorear.

RECREA EL COLOR

Primero, se aplica una capa fina de colores básicos acrílicos como telón de fondo para los detalles que aplicaremos después. Los colores acrílicos son muy opacos por lo que no tendrás que preocuparte por salirte de las líneas; cualquier pincelada fuera de lugar podrá limpiarse después.

COLOREA LA CRIATURA

Piensa cómo quieres que esté iluminada la bestia antes de empezar a colorear. Los detalles de este Espíritu se han realizado con tubos de acrílico, con pinceles de cerdas de diferentes tamaños y con pinceles de pelo de marta sintético.

Bestias de la nieve y del hielo

Inspírate

¿Quién sabe qué criaturas pueden buscar refugio en los confines de la Tierra o en lo más alto de una montaña helada? Los cuadernos de viaje de los exploradores pueden darte alguna idea, pero es en la naturaleza en donde encontrarás más fuentes de inspiración.

1 Dibujar criaturas blancas sobre un fondo blanco puede resultar complicado. Busca en la naturaleza texturas y colores que puedas tomar como modelo.

2 El zorro ártico se ha adaptado a su hogar, puede acurrucarse en la nieve y mantenerse caliente, escondiendo el hocico bajo su cola peluda.

3 Coleccionar fósiles puede ser un pasatiempo bastante divertido y barato. Probablemente no encontrarás dinosaurios pero sí muchas plantas y animales pequeños.

4 La morsa pasa la mayor parte de su vida en las aguas gélidas del Ártico, aunque también se le puede ver fuera de ella. Se ha adaptado muy bien a su doble entorno. Camina utilizando las 4 patas y las bolsas de aire que tiene en su garganta le permiten nadar con la cabeza por encima del agua. Una densa capa de grasa la mantiene protegida del frío hielo.

1

2

3
4

BOCETOS DE PERSONAJES: ESPÍRITU DEL HIELO

El Espíritu del hielo, al igual que los otros Elementos, es una criatura que no posee una figura propia por sí sola. Existe como una energía que adopta una forma física manipulando su entorno. Está compuesta principalmente de hielo y nieve.

Se trata de una criatura de movimiento pausado que se refugia en la rapidez con la que su composición le permite pasar de estado líquido a sólido para desplazarse. Una víctima en plena forma podría dejarle atrás fácilmente, por eso sus presas son criaturas desprevenidas y heridas, ocultas en grietas de glaciares o cerca de ellas.

Aunque esté compuesto por un material sólido (hielo) y sea, esencialmente, una criatura de un frío extremo, le atraen las fuentes de calor y absorbe el calor de sus víctimas para prolongar su existencia. Por lo tanto, se le podría encontrar tanto en volcanes subglaciales como en aguas termales.

ARCHIVO DE DATOS FISIOLÓGICOS	
Tamaño:	**Variable**
Peso:	**Variable**
Piel:	**Hielo**
Ojos:	**No tiene**
Señales:	**Cadáveres congelados**

PRUEBA IDEAS NUEVAS
Para diseñar una criatura tan abstracta es mejor realizar un diseño que vaya evolucionando. Empieza con unos trazos a lápiz, sujetando el lápiz por el extremo superior para que los trazos resulten más libres y fluidos.

ALTERNATIVAS
Realiza varios bocetos dejando que el lápiz guíe tu mano libremente, en vez de preocuparte por lo que estás haciendo. El pintor Paul Klee llamó a esta técnica: "sacar a un trazo de paseo". Trabaja siguiendo estas indicaciones hasta que te guste el resultado.

Esta forma encorvada y con joroba sugiere alguien sospechoso, que se mueve arrastrándose.

Esta cabeza grande rugiendo se ha diseñado así para que las víctimas le teman, pero se busca más el efecto que la intención.

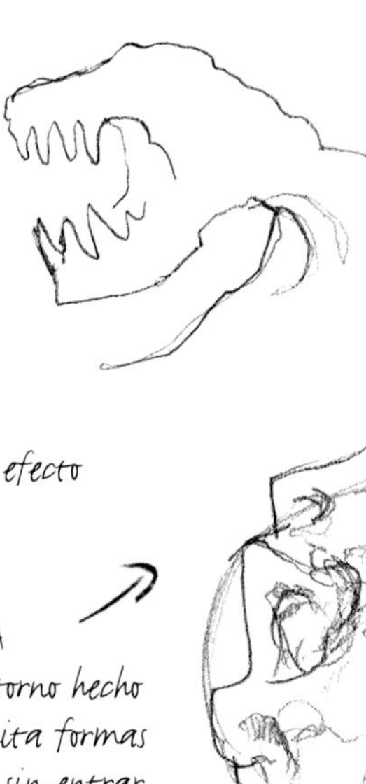

DIBUJA LA CABEZA
Trabaja sobre el contorno hecho a lápiz, añade o quita formas según tu gusto, pero sin entrar en demasiados detalles.

BOCETO FINAL

En las figuras se reflejan los materiales de los que está hecho la criatura: hielo semilíquido y nieve. Los dientes, el cuerno y los talones parecen carámbanos, la curvatura de la espalda se asemeja a una montaña cubierta por la nieve, y el diseño de las láminas en su cuerpo recuerda al hielo roto por las pisadas. Como material de consulta, para las curvas puedes recurrir a fotografías de figuras de nieve que haya esculpido el viento y el hielo al derritiéndose.

Combinación de colores

Una criatura compuesta de nieve y hielo es un reflejo de su entorno en lo que se refiere al color, por eso tener en cuenta las condiciones climáticas y la calidad de la luz es muy importante. Esto también te puede servir para reflejar el estado de ánimo. Por ejemplo, la criatura puede parecer radiante y de buen humor en un día soleado, pero mucho más misteriosa y amenazadora en un día con poca luz.

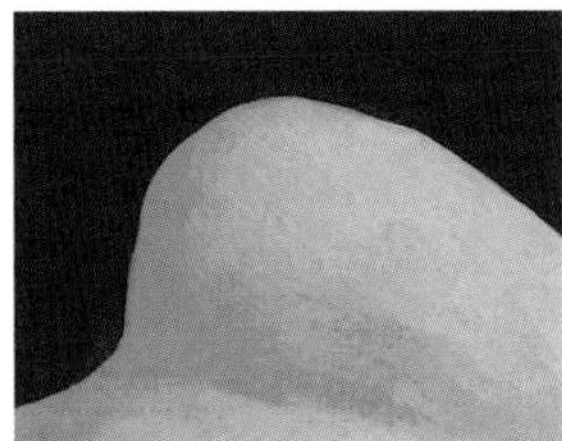

LA NIEVE DE NOCHE

La nieve siempre refleja el color del cielo, por lo tanto, de noche su brillo dependerá de la claridad del cielo y del tamaño y del brillo de la luna. Como la noche suele ser más fría que el día, los tonos azul fuertes sobre la nieve harán que parezca más fría que con los tonos grises.

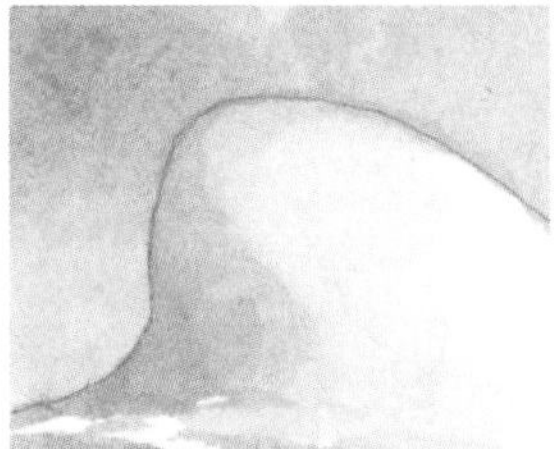

UN DÍA NUBLADO O APAGADO

La nieve refleja los grises neutros del cielo, por lo que parece emocionalmente poco definida o sombría.

LUZ SOLAR BRILLANTE

La luz del sol produce sombras muy definidas. El lado del objeto que está de cara al sol refleja la fuente de luz, el sol, mientras que el lado que está a la sombra absorbe un poco del color del cielo, así como las tonalidades del paisaje que le rodea.

Creando el hielo

El hielo no es del todo transparente; las burbujas de aire que contiene hacen que sea traslúcido o que parezca turbio. Gracias a esto, nos da la sensación de que absorbe y amplía los colores de su entorno. En esta secuencia tienes una demostración de cómo se recrea la impresión de hielo sólido, o de cualquier otro material traslúcido o transparente, como el cristal, por ejemplo.

1 Con un rotulador "spirit-based", que es resistente al agua cuando se seca, en un color pálido dibuja diferentes figuras, dejando espacios en blanco como si fuera un tablero de ajedrez torcido. Los trazos claros a lápiz podrán borrarse después.

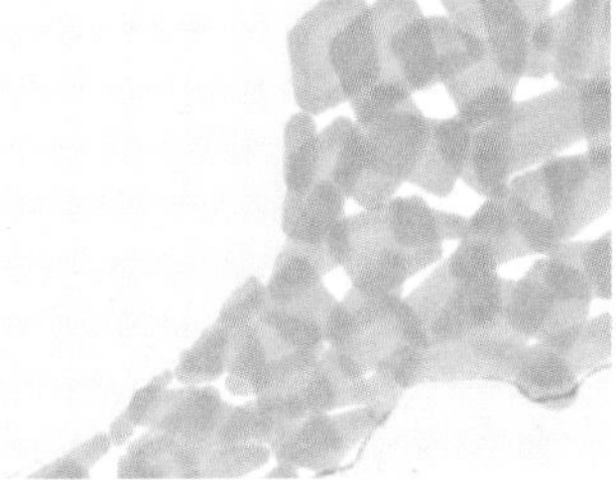

2 Repite el proceso dibujando figuras sobre las que habías dibujado antes.

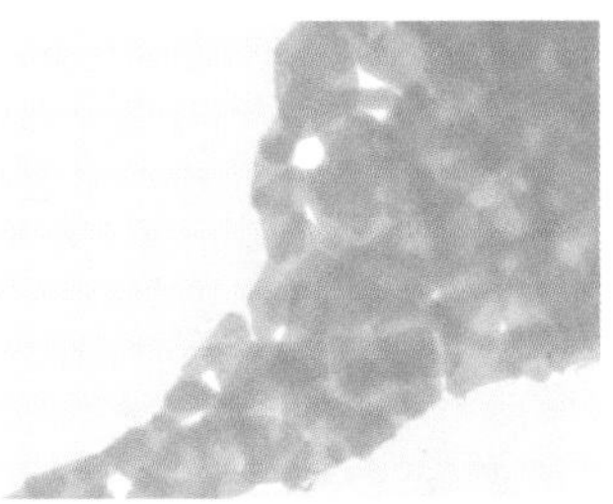

3 Vuelve a repetir el proceso, pero ahora rellena las zonas que dan a una estructura mayor o que se solapan con otra parte de la criatura.

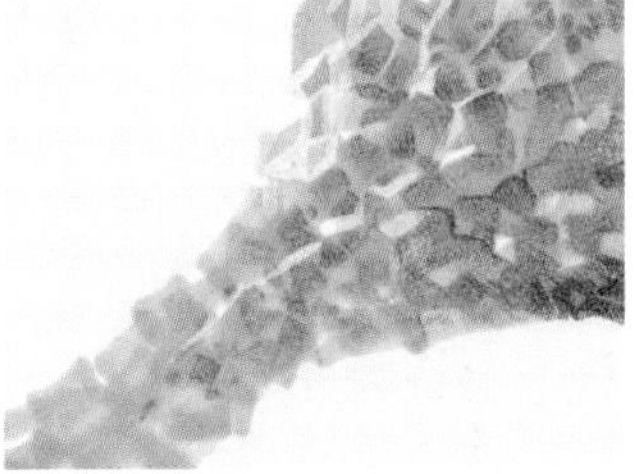

4 En las etapas finales utiliza un lápiz policromo para crear figuras más oscuras y ocultar imperfecciones, grietas, etc. Finalmente, aplica pintura acrílica blanca o *gouache* para resaltar alguna figura y para añadir brillos.

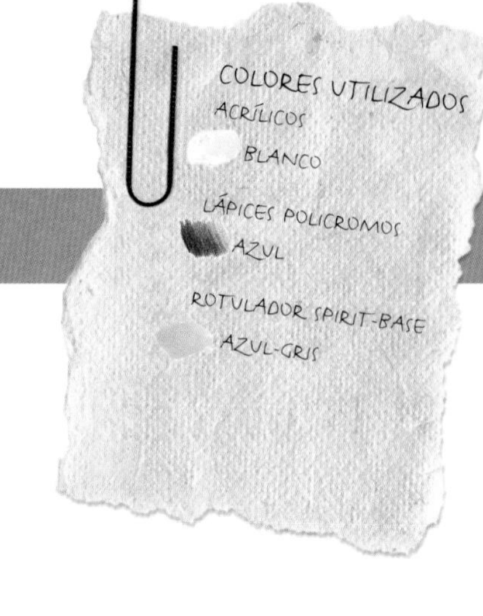

COLORES UTILIZADOS
ACRÍLICOS
BLANCO
LÁPICES POLICROMOS
AZUL
ROTULADOR SPIRIT-BASE
AZUL-GRIS

El dibujo del profesional

El artista ha aumentado el boceto preliminar hasta obtener el tamaño final de la ilustración. Después, con la ayuda de un rotulador spirit-based de color azul-gris pálido ha calcado las formas de hielo principales, sin los contornos, en un papel para acuarela tintado en azul sobre una caja de luz, Tras estirar el papel, se ha añadido color con un lápiz policromo azul. También se ha aplicado pintura opaca acrílica blanca para la nieve y los brillos del hielo.

ÚLTIMOS PASOS DEL DIBUJO

Trabaja todo el dibujo a lápiz, un medio muy recomendado en este caso porque la criatura no va a ser muy colorida.

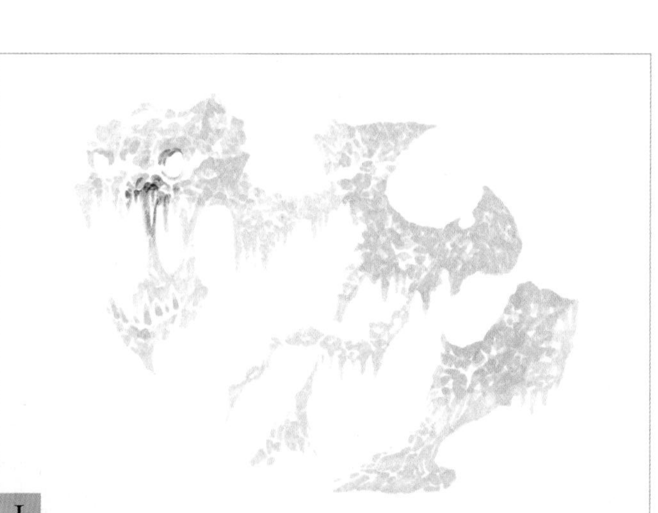

1

DIBUJA FIGURAS BÁSICAS

Dibuja las figuras básicas de hielo en un papel de acuarela tintado en azul, colocado sobre la lámina del boceto, aumentado sobre una caja de luz como referencia. Puedes conseguir unos trazos de rotulador más profundos si aplicas más capas del mismo color encima.

2

SOMBREA LAS FIGURAS

Estira el papel para acuarela sobre un tablero, cuando se haya secado utiliza un lápiz policromo azul para sombrear las figuras que se han hecho con rotulador para formar el hielo. El hielo actúa como una lente que invierte cualquier imagen que lo atraviese; así que tienes que variar las sombras, hacer que algunas figuras sean más claras en la parte superior que en la parte inferior, otras más oscuras por el centro y así por toda la figura.

DIBUJA LA FIGURA FINAL

Dibuja la nieve para crear la figura final de la criatura. Añade también algunos brillos blancos en las partes que sobresalgan de la figura.

TERMINA EL DIBUJO

Se trata de un dibujo minimalista; un buen ejemplo de cómo "menos" puede ser "más". El fondo plano es escalofriante e inmóvil; la nieve, además, tiene la cualidad de enmudecer. La falta de viento o de acción que mueva el entorno crea la sensación de una bestia que puede estar en letargo durante meses e incluso años.

BOCETOS DE PERSONAJES: DRAGÓN DE HIELO

Los dragones han formado parte de nuestro folclore durante siglos. En las leyendas y en los cuentos se les rinde tributo y se les teme en igual medida por su asombroso aspecto, así como por sus devastadores poderes.

En la literatura y en el arte se pueden encontrar numerosas representaciones de dragones, en este mismo libro aparecen varias. Ya habrás notado que existen características comunes a la mayoría de los dragones: las alas son muy frecuentes y su tamaño es bastante grande, el color es variable. La mayoría tienen escamas, pero algunos tienen una piel realmente dura. También hay especies con las orejas bastante grandes y otras con las orejas pequeñas, otras con la espalda puntiaguda y rugosa y otras con la espalda tersa y recta, otras tienen la barriga suave o están envueltos por unos caparazones puntiagudos. Por último, no todos los dragones echan fuego por la boca; éste echa hielo.

DIBUJA LAS GARRAS
La garra está formada por figuras simples y líneas estructurales.

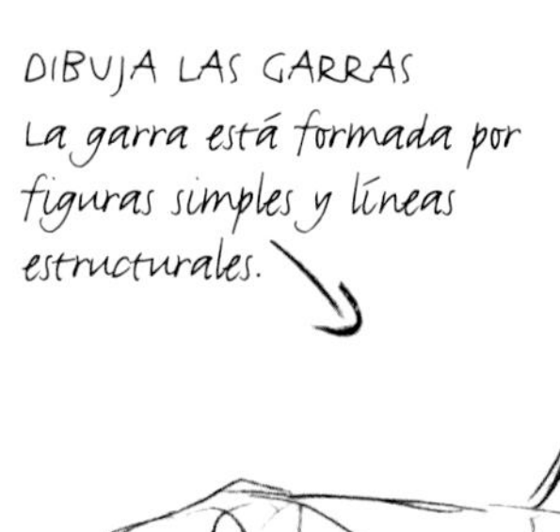

COLOREA LAS GARRAS
Coloréalas con lápices y después añade una capa de color.

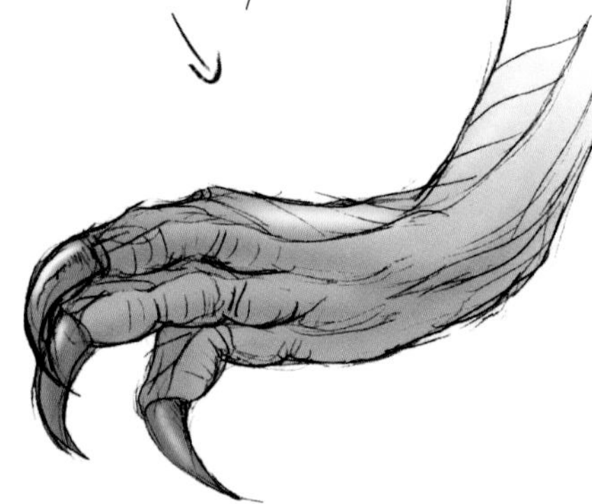

COLOREA LA BESTIA
El dragón de hielo se ha creado con Adobe Photoshop. Después de terminar el diseño, dibuja un boceto por encima y realiza el dibujo final sobre él.

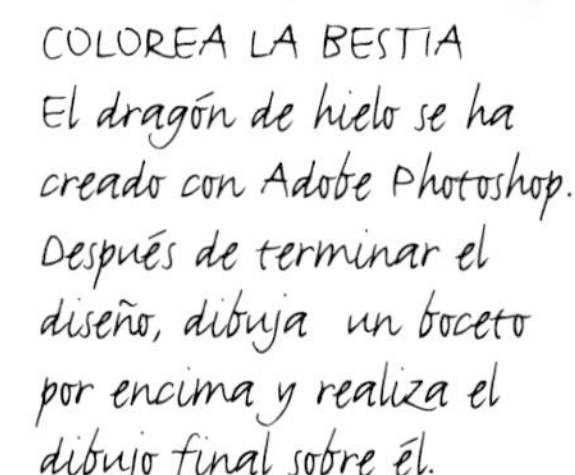

CABEZA DEL DRAGÓN. VISTA FRONTAL
Se puede ver la cabeza del dragón con sus dientes afilados y sus penetrantes ojos amarillos.

VISTA LATERAL
Las protuberancias similares a las de un lagarto hacen que no parezca de este mundo.

COLA ASESINA
Los detalles lo dicen todo y esta cola puntiaguda es un arma mortal muy convincente.

CREA LA FORMA
Para crear la impresión de volumen ten siempre presente la figura en tres dimensiones de la criatura. Aquí se han utilizado unas figuras simples para realizar el boceto de la forma básica del dragón.
MÁS DETALLES
Se han añadido más detalles con un lápiz y una capa de un color plano.
CREA UN MUNDO IMAGINARIO
Un bebé reptil dentro de un huevo con aspecto de roca. Este huevo soporta el peso de la mamá dragón.

Bocetos de personajes: Yeti

El Yeti, también conocido como el abominable hombre de las nieves, es una criatura reservada, solitaria y pacífica que habita en el Himalaya. Muchos aventureros afirman haberle perseguido y divisado en el transcurso de los años. Sin embargo, nadie ha podido aportar alguna prueba contundente y real de que la criatura existe, así que puede que las alucinaciones que produce la falta de oxígeno a esas altitudes explique mejor su "existencia".

Los apasionados del Yeti afirman que camina sobre dos de sus patas, pero no se ponen de acuerdo en su aspecto. Algunos avistamientos y huellas podrían sugerir que podría pertenece a alguna especie de oso o simio todavía desconocida para los hombres. Este yeti es un híbrido con características de los osos y de los simios, así se cubren todas las posibilidades.

Dibuja el pelaje

Existen diferentes métodos para dibujar pelaje y para ello se puede utilizar, prácticamente, cualquier medio de dibujo o coloreado, aunque, quizás, los medios opacos son los más fáciles de usar y los pasteles te permiten conseguir efectos rápidamente.

PINTURA OPACA
En este caso la pintura acrílica puede ser buena para dibujar un pelo grueso, grasiento y apelmazado.

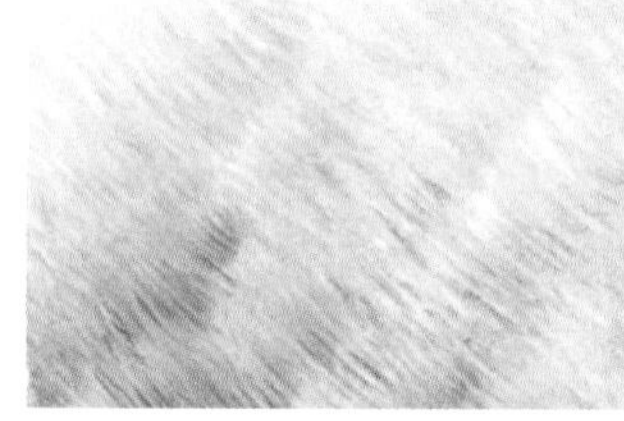

LÁPIZ POLICROMO
Los lápices son excelentes para dibujar un pelo más áspero, duro y largo pero no se difuminan tan bien como los pasteles.

PINTURA TRANSPARENTE
La acuarela o la pintura acrílica diluida pueden utilizarse también para dibujar un pelaje denso, pero costaría bastante dibujar un pelaje pálido. Realiza pinceladas cortas, aprovechando todas las cerdas del pincel para crear una serie de trazos pequeños y paralelos.

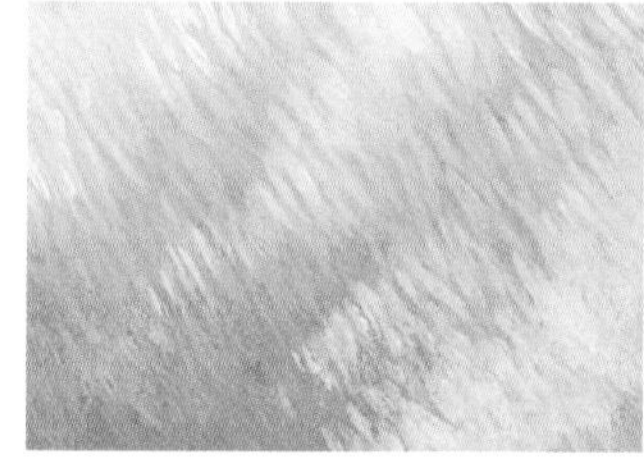

PASTEL O LÁPIZ PASTEL
Este medio es recomendable para un pelaje corto y suave. Difumina con tu dedo o con un difumino cuando tengas que suavizar algunos de los trazos. Para un pelaje blanco añade un toque de amarillo pálido.

CREA LA FORMA
En este dibujo se puede ver su construcción primitiva; las enormes articulaciones que tiene en los hombros y en las caderas justo en donde las criaturas tienen los grupos de músculos más importantes. Un cuerpo así de grande y pesado es esencial para caminar atravesando profundos montones de nieve. La criatura también tendrá que hacer buena provisión de grasas para hibernar.

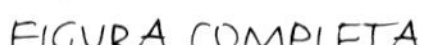

FIGURA COMPLETA
En esta construcción se pueden apreciar su influencia animal y sus pesadas articulaciones en los hombros y en las caderas.

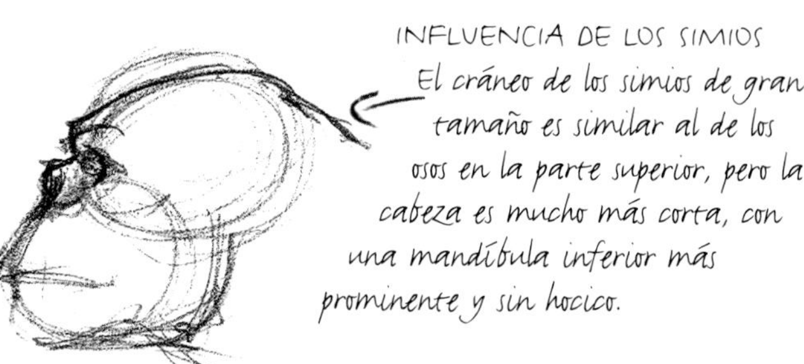

INFLUENCIA DE LOS SIMIOS
El cráneo de los simios de gran tamaño es similar al de los osos en la parte superior, pero la cabeza es mucho más corta, con una mandíbula inferior más prominente y sin hocico.

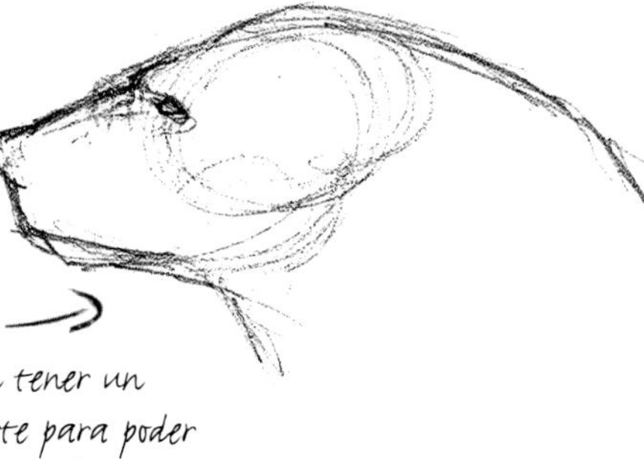

INFLUENCIA DE LOS OSOS
Los osos tienen una cabeza plana y densa, con un cuello grueso y grande, también suelen tener un torso de complexión fuerte para poder almacenar grasas durante el invierno.

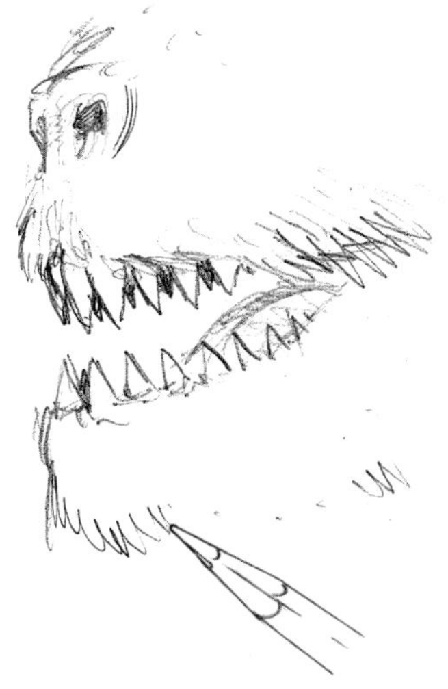

DIBUJA LOS DIENTES
Unos dientes afilados y puntiagudos harían que el personaje pareciera agresivo y carnívoro, pero este yeti es una criatura pasiva.

Por otro lado, unos dientes grandes y planos pueden darle un aspecto demasiado cómico. Intenta dibujar unos dientes que no sean ni lo uno ni lo otro.

PROPORCIONES DE LA CARA
Unos ojos pequeños harán que la cabeza parezca todavía más grande.

FISIOLOGÍA
Se ha logrado representar una criatura realista, con una cabeza que recuerda a la vez a un oso y a un simio. El cuerpo es el de un oso polar, refleja el entorno en el que vive.

COLOREA LA BESTIA
Tiene un pelaje blanco corto, denso y grasiento para resguardarse del frío. Se ha coloreado con lápices pastel, por lo que se ha utilizado un papel con una superficie suave; en otro tipo de superficie cualquier grano o textura se vería en su pelaje. Se utilizaron los colores blanco, amarillo pálido y gris cálido.

Índice analítico

I

K

L

M

N

O

P

Q

R

S

T

V

Y

Z

Créditos

Quarto quiere dar las gracias y reconocer a aquellos que nos han proporcionado ilustraciones y fotografías para que aparezcan en este libro:

a= arriba; b= abajo; d= derecha; i= izquierda; c= centro

11a Cortesía de Fujifilm
26bi Cortesía de Seiko Epson Corp.
26bc Cortesía de Apple
26bd Cortesía de Wacom Technology Co

El resto de las ilustraciones y fotografías son propiedad de Quarto Publishing plc. Ha sido nuestra intención mencionar a todos los que han participado, pero si hubiera alguna omisión o error Quarto pide disculpas y se compromete a realizar la correspondiente corrección en futuras ediciones del libro.

Los siguientes artistas han participado en este libro:

Simon Coleby – Caminante de las dunas, Reptil del pantano.
Jon Hodgson – Gato salvaje con colmillos de sable
Ralph Horsley – Elemento de la noche, Centauro
Patrick McEvoy – Elemento del mar, Elemento del desierto, Elemento del bosque
Lee Smith – Pez víbora gigante, Espalda cortante
Anne Strokes – el trabajo digital, Esfinge, Elemento del pantano
Ruben de Vela – Kraken, Kropecharon, Dragón del hielo

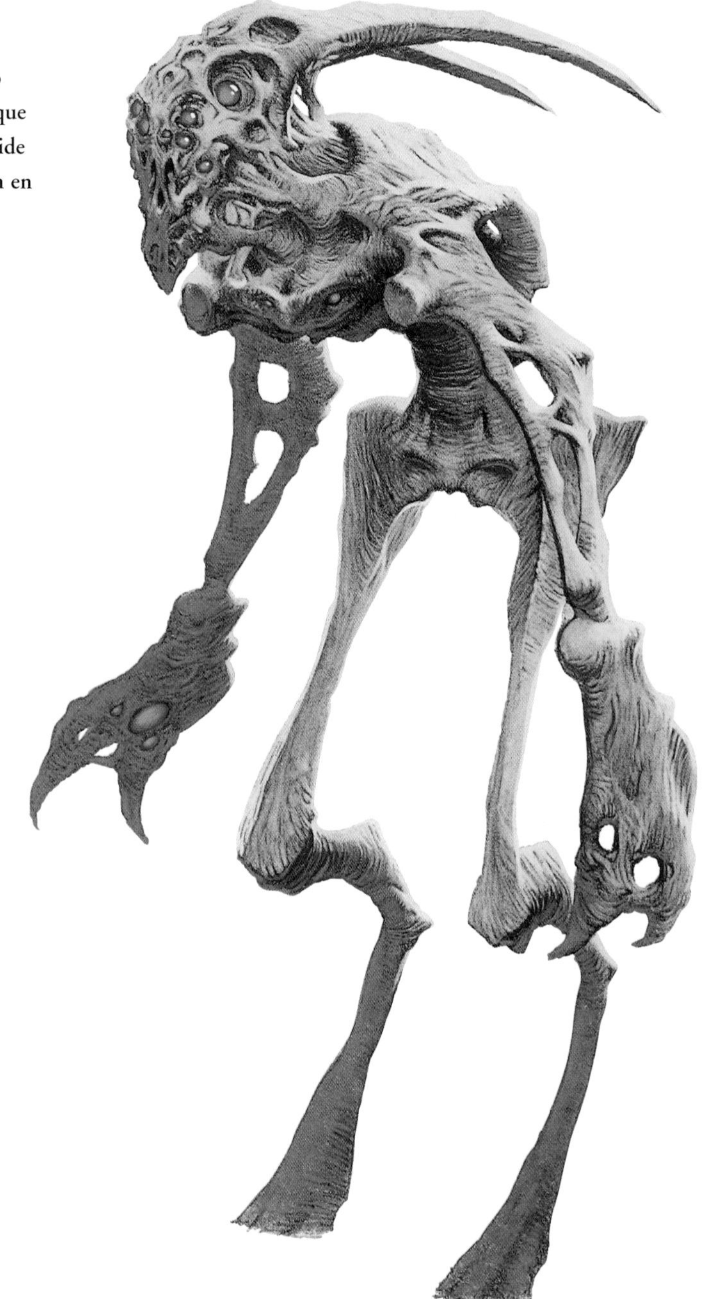